Chat Noir

3. LES SILLONS DU DIABLE

YANN DARKO

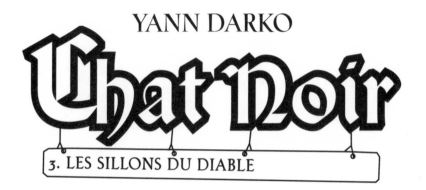

3. LES SILLONS DU DIABLE

GALLIMARD JEUNESSE

*Aux jeunes héros qui ferment les écrans
pour entrer dans un livre.*

I

Oublille pas tes moufles

Le carreau d'arbalète passe en sifflant, il manque de m'emporter le nez. D'un saut périlleux, je me jette de l'arbre où je me trouve vers un autre un peu plus loin. Mes gants-griffes déchiquettent l'écorce tandis que je grimpe à l'abri d'une branche. Je dérange un écureuil qui s'y croyait tranquille pour observer ce drôle d'humain voltigeur. Il détale et disparaît vers la cime. Bien plus bas, calé contre une souche, mon père décoche un autre trait qui file droit sur moi. Pour l'éviter, je n'ai d'autre choix que de me laisser tomber dans le vide ! Tant bien que mal, je contrôle ma chute et me rattrape du bout des griffes à une branche plus basse. Elle me sauve d'une mort certaine. L'estomac noué par la peur, je risque ma vie à dix mètres du sol.

Mon père tire un autre carreau. Nul doute, il est déterminé à m'atteindre. L'arbalète qu'il manipule est celle avec laquelle je l'ai un jour abattu d'un carreau dans le dos. Aujourd'hui, il semble décidé à me rendre la pareille. Mieux vaut mettre plus de distance entre son arme et ma peau.

Je grimpe comme un fou à la suite de l'écureuil. Juste sous mes pieds, le choc d'un projectile qui percute le tronc me redonne de l'élan. Je rattrape vite la petite bête qui pousse un *scouic!* apeuré avant de déguerpir. Me voici au sommet du grand arbre, sur ses plus fines branches, qui plient sous mon poids. Dommage, le printemps est trop jeune pour que le feuillage naissant puisse me cacher. Mon père a d'excellents yeux, et la forêt baigne dans le clair de lune. Un autre carreau me frôle dangereusement.

Vite, bondir plus loin! Le mouvement est ma seule protection contre les tirs… Mais au moment de sauter, je m'immobilise. De ce point de vue qui domine la plaine, un spectacle extraordinaire m'apparaît. Fasciné, j'observe pour la première fois ce que les paysans surnomment en chuchotant les Sillons du Diable. Un phénomène surnaturel dont les manifestations sont rapportées par la rumeur, depuis la fin de l'hiver. Jusque-là, je ne savais trop que penser de cette histoire étrange. Maintenant que le voici devant moi, ce mystère nocturne, je ne le comprends pas davantage. Mais quelle vision spectaculaire! Je n'ai jamais rien vu de si beau, ni de plus terrifiant.

Soudain, une douleur fulgurante me vrille le flanc. Je paye le prix de mon immobilité ! Un carreau vient de me frapper et m'arrache un hurlement de douleur. Malgré le choc, je parviens à conserver l'équilibre. Tant bien que mal, en dépit de la souffrance, j'utilise mes gants-griffes contre le tronc pour ralentir ma descente, comme on se laisse glisser le long d'un mât de cocagne. Puis je roule dans les fougères en me tenant les côtes. L'impact du projectile me fait l'effet d'un coup de poignard.

– C'est bien fait pour toi, Sasha !
Mon père lâche ses béquilles et s'effondre à côté de moi sur le sol moussu. Ses jambes ne sont pas plus solides que si elles étaient en chiffon. Mais il ne s'en plaint jamais. Lui qui, avant moi, courait les toits comme un chat !
Il m'aide à m'asseoir. Je réponds ironiquement :
– Je te remercie pour ta compassion, oncle Pierre.
Ça me fait toujours drôle d'appeler mon père par ce pseudonyme, dont le dessein est de faire croire au monde que sa mort fut réelle. Il insiste pour que ma sœur et moi le nommions ainsi, même quand nous sommes seuls avec lui.
– Remercie-moi plutôt pour la leçon ! N'importe quel homme d'armes, à ma place, t'aurait fait un trou dans la panse. Tu dois être plus rapide, et ne

jamais t'arrêter de courir ! Je te rappelle que les soldats de l'Archiduc n'ont pas la courtoisie, comme
moi, de remplacer la pointe de leurs flèches par des
boules de liège.

– Bah, n'importe quel homme d'armes ne tire pas
aussi bien que toi.

– C'est vrai… Mais il tire plus nombreux.

Je rigole, ce qui fait rudement mal à mes côtes
meurtries. Mon père débouche un pot d'onguent
qui sent la sauge. Je retire mes gants-griffes, mon
habit de Chat Noir, et il commence à masser cette
nouvelle contusion sur mon torse. Tous nos entraînements, qui se déroulent dans ce coin reculé de la
forêt, finissent par cette cérémonie médicale. J'ai
maintenant sur le corps davantage de bleus que de
grains de beauté !

J'en ai assez de cette remise en forme. Ma main,
blessée par le disque de cristal du prince Viktar, a
mis tout l'hiver pour guérir. J'ai souffert, les os
étaient touchés, mais aujourd'hui il ne reste qu'une
longue cicatrice. Et mes muscles affaiblis par quatre
mois de repos ont enfin retrouvé leur puissance,
grâce à ces entraînements nocturnes dirigés par
mon père.

– Père… euh, oncle Pierre, il est temps que Chat
Noir réapparaisse sur les toits de Deux-Brumes. Tu
ne crois pas ?

Il soupire, caresse sa courte barbe blanche, puis acquiesce.

– Tu as raison, mon garçon. Non pas que tu sois tout à fait prêt. Mais le pays a fini d'hiberner et, déjà, l'Archiduc rassemble des troupes qui semblent prêtes à guerroyer. Le moment est venu de remettre le museau dans leurs affaires.

– Sans oublier qu'en quelques mois, la horde de Ratakass du prince Viktar a dû se multiplier par milliers. Ah, si seulement je n'avais pas été immobilisé si longtemps, je…

– … tu aurais fait quoi ? Un petit chaton seul contre une horde de tigres décidés à s'emparer du royaume ! Les forces qui se mettent en branle sont d'une puissance qui nous dépasse. Les combats à venir ne se joueront pas sur les toits de la ville, mais sur des champs de bataille.

– La guerre.

– Oui, la guerre. Mais Chat Noir peut y mettre sa patte et contribuer à faire pencher la victoire du bon côté. N'est-ce pas ?

– Et comment ! Je serai le grain de sable dans l'engrenage ! La paille dans l'œil de l'archer ! La crotte de lapin dans l'assiette de petits pois !

– Oh, la jolie métaphore ! On dirait du Cagouille.

Je souris tristement. Voilà dix-huit semaines que Cagouille est parti avec le cirque Crapoussin. Mon copain, mon frère, comme il me manque ! J'espère qu'ils ont atteint Coronora à temps pour passer l'hiver entre les murs de notre capitale. Aucune nouvelle. Je suis inquiet. D'autant plus qu'ils avaient pour mission de prévenir la Reine des manigances de son cousin, l'Archiduc de Motte-Brouillasse. Et si nos ennemis les avaient interceptés avant qu'ils atteignent leur but ? J'en frémis !

Mon père, qui lit toujours dans mes pensées, essaye de me rassurer :

– Ne t'angoisse pas pour Cagouille. Avec M. Crapoussin, il est en bonne compagnie. Mon vieil ami connaît tous les pièges et sait les éviter. Allons, rentrons au moulin. Tu dois aller en classe dans trois heures.

J'aide mon père à se relever et nous nous installons dans la carriole. La mule, qui connaît le chemin de la maison, nous conduit toute seule.

– Dis-moi donc ce qui t'a arrêté si soudainement dans ta course, au sommet de ton arbre. Une crampe ?

– Pas du tout. J'ai eu une vision… extraordinaire. Tu ne vas pas me croire.

– Oh ! Les Sillons du Diable ? Tu les as vus ?

Je hoche la tête affirmativement.

– Eh bien, raconte !

Je m'emmitoufle dans mon manteau de laine. J'ai froid, je suis fatigué, la sueur qui sèche me pique la peau. Je ferais bien un petit somme, je n'ai pas envie de parler. Mais mon père me presse et je lui explique en bâillant :

– De mon perchoir, j'avais une vue plongeante sur la plaine qui entoure Deux-Brumes. J'apercevais même les reliefs de la mer qui luisaient sous la lune, de l'autre côté de la ville.

– Ne me fais pas un poème. Où étaient ces fameux sillons ?

– Tout autour de Deux-Brumes. On les distinguait surtout dans les champs. Ils rayonnaient autour des remparts et disparaissaient dans les terres.

– À quoi ressemblaient-ils ?

– À des nervures lumineuses, fines et tortueuses. Comme de petites fissures qui laisseraient filtrer une lumière puissante. Leur couleur était celle du fer qui sort de la forge.

– Je comprends l'image inventée par les paysans pour décrire ça. Comme si le plafond de l'enfer se fissurait sous leurs pieds et laissait entrevoir ses flammes.

– Oui, c'est exactement ce à quoi ça ressemble !

– Balivernes.

– Tu ne me crois pas ?

– Si, je te crois. Mais le Diable n'a rien à voir là-dedans, Sasha.

– Qu'est-ce que tu en penses ?

– J'en pense que tu devrais dormir. Ta journée va être longue, et la nuit prochaine aussi.

Je sommeille jusqu'à ce que nous sortions des bois. Quand j'ouvre les yeux, il fait jour. Dans la lumière encore pâle, papillons et abeilles secouent la rosée des fleurettes éparpillées sur la verdure. Mille chants d'oiseaux accueillent le soleil d'une cacophonie joyeuse. Sous un dernier voile de brume, la silhouette de notre moulin se rapproche. J'entends le grincement familier de sa roue à aubes que le fleuve fait tourner. Mon père sourit et tape sa pipe, qui ne contient plus que des cendres, contre le montant de la carriole. Je resterais bien à la maison ce matin… Mais non ! Il y a ce maudit Collegium !

Près des premières chaumières, un homme au pas décidé traverse devant nous sans regarder. La mule, surprise, fait un écart. Il porte une pioche sur l'épaule. Ses yeux plissés, sous ses gros sourcils froncés, lui donnent l'air furibond. On dirait qu'il s'en va régler son compte à quelqu'un. C'est un paysan de nos voisins que je connais un peu. Il n'est réputé ni pour sa patience, ni pour son bon caractère.

Nous le voyons se diriger en maugréant vers ses

champs. Soudain, sa femme nous passe également devant. Son visage sec et buriné est tordu par l'angoisse. Elle crie à son mari :

– Nestor, reviens ! N'y va point ! Nestor, tu es fou ! Tu t'en vas au diable ! Nestor, je t'en supplie, reviens !

– Va toi-même au diable, femme !

Avec ceci pour toute réponse, le Nestor presse le pas, plantant là sa moitié. Elle joint les mains en prière. Mon père l'interpelle :

– Que se passe-t-il donc, la mère ?

– Mon mari, y s'en va creuser dans le champ d'l'avoine. Il est perdu !

– Que buvez-vous au déjeuner, ma bonne dame ? Un paysan qui creuse son champ... En voilà une raison de s'affoler !

La femme s'agrippe au bliaut[1] de mon père pour le forcer à approcher son oreille. Elle baisse la voix.

– Une bonne raison quand on y a vu les Sillons du Diable.

– Quand ça ?

– Cette nuit. Soi-disant qu'il était sorti pisser, mais il a dû aller boire une chopine sous la lune. C'est alors qu'mon Nestor a vu cette malédiction dans son champ ! Comme les semailles c'est bientôt,

---

1. Tunique serrée à la taille qui descend jusqu'aux genoux.

son sang n'a fait qu'un tour. Il a pris sa pioche et s'en est allé « nettoyer tout ça » comme il a dit.

– Il n'a donc pas peur du diable ?

– P't-êt' ben... Mais pas autant que d'une récolte gâtée.

– Et que compte-t-il faire avec sa pioche ? Il s'agit de traces lumineuses, pas de mauvaises herbes !

Elle hausse les épaules.

– Essayez donc de raisonner avec cette tête de mule.

Notre animal semble se sentir visé et s'ébroue. La paysanne s'éloigne et rentre chez elle en secouant la tête. Mon père me regarde sans rien dire, il a l'air amusé et intrigué tout à la fois. Puis il claque sa langue et la carriole se remet en marche.

Mama Pouss, installée sur le banc près de la porte d'entrée, ouvre un œil puis le referme en nous reconnaissant. Depuis l'arrivée du printemps, elle ne rentre pratiquement plus à l'intérieur. Elle qui ne s'est pas éloignée de la cheminée pendant tout l'hiver ! Je me demande parfois si elle a la nostalgie de ses voyages avec le Cirque des Rats. Et M. Crapoussin, ne lui manque-t-il pas ? À moi, si...

– I'gn'y'a du gourrier bour doi !

Ma sœur, qui nous attendait dans la pièce du foyer, m'accueille avec ces mots prononcés d'une voix de canard.

– Hein ?

– Du gourrier ! Bour doi !

Revêtue de son tablier de cuir, la ceinture garnie d'outils, Bathilde se pince le nez. De l'autre main, elle me tend une feuille de parchemin pliée et scellée. Je la lui prends et fais aussitôt la grimace.

– Mais, ça pue ! D'où sors-tu ce détritus ?

– C'est une lettre, pour toi. Un messager vient de l'apporter. Elle a voyagé depuis Coronora.

– Un message de Crapoussin ? intervient mon père.

Il s'assied sur son fauteuil et Bathilde le débarrasse des béquilles. La frange de ses cheveux, qu'elle s'est récemment coupés à la garçonne, lui tombe devant les yeux. Elle souffle dessus en tordant la bouche, puis répond :

– Au parfum qui s'en dégage, ça viendrait plutôt de ton copain.

– Cagouille ? Impossible, il ne sait ni lire ni écrire.

Le sceau de cire se brise sous mes doigts. Je déplie la feuille et il en tombe quelques fragments de fromage moisi.

– Voilà ce qui sent mauvais. L'auteur de la lettre devait manger en écrivant. Et comme la missive a fait un long voyage, les miettes…

Je m'interromps net en voyant la signature. Bathilde a raison !

– Mais oui, c'est de Cagouille ! Pas croyable !

Mon père prend la lettre, la regarde en ricanant et fait remarquer :

– M. Crapoussin semble avoir entrepris d'alphabétiser l'animal. C'est un courageux. Fais-nous la lecture, Sasha.

Il me rend la feuille et j'examine l'écriture de Cagouille. Au premier abord, on croirait un alphabet étranger, tracé avec le doigt plutôt qu'avec la plume. L'ensemble se révèle pourtant déchiffrable. D'autant plus qu'une seconde écriture, fine et élégante, vient s'ajouter entre les lignes de gribouillis. Quelqu'un a corrigé la lettre, juste assez pour la rendre intelligible, tout en préservant les tournures exotiques de l'apprenti lettré. J'attaque :

– *Mon pauv Sashouille. J'essuie sûr que t'entombes sur l'écu de voiller comme j'écrite ! Épi c'est patou des surprises qui t'attendent zici, à Coronora. Voui mon vieux, pasqui faut que tu vienses. Et toute suite ! C'est excrémement important. Ouvre tes œils et comprende à deux mimos : y a quéqu'un qui veut te voir, mais c'est po vraiment toille qu'à veut voir. C'éclair ? On a besoin de toille, mais c'est pas de toille qu'on a besoin. Tu comprendes ? Bon. Zalors fais ton ballochon et vienze à Coronora ousqu'on t'a tant. Et oublille pas d'emmener tes moufles ! Tu comprenses de quoi qui s'agite ? Tes moufles ! Grouille. Rend des vous chaque matin place de Grève à Coronora. Bon voillage ! Épasse le bonjour à mes parents, ces zignares qui savent pas lalfaber.*

Mon père est plié de rire. Bathilde, allergique à tout ce qui concerne Cagouille, a pourtant du mal à s'empêcher de rigoler, elle aussi. Elle dit avec mépris :

– Quel charabia !

– Ça semble pourtant clair, sœurette. Cagouille demande que je le rejoigne à Coronora. Apparemment, quelqu'un veut me rencontrer. Ou plutôt, rencontrer Chat Noir.

– Et les moufles, ce sont les gants-griffes ?

– Évidemment !

– C'est idiot.

Mon père prend la lettre et dit à Bathilde :

– Au contraire ! C'est très malin. Si ce message était tombé en de mauvaises mains, personne n'aurait compris à quoi il fait allusion.

Ma sœur hausse les épaules. Elle prend ma veste et les gants-griffes, puis se dirige vers l'atelier. Elle ne manque jamais de les réviser après chaque sortie. Mon père a retrouvé une mine sérieuse. Il relit la lettre, l'air pas très convaincu. Je m'enthousiasme déjà à l'idée du départ :

– Coronora, la capitale royale ! Moi qui n'ai

jamais quitté le canton! Comment m'y prendre pour faire un si long voyage?

– Quel voyage? Tu restes ici, Sasha. On a besoin de toi et de tes «moufles» à Deux-Brumes.

– Mais... la lettre?

– Pas sérieuse. Cagouille a simplement envie que tu le rejoignes. Tu lui manques, c'est compréhensible. Mais de là à t'envoyer de l'autre côté du royaume...

– Père! Ça semble important! Il parle d'une personne qui veut rencontrer Chat Noir.

– Non! Si la raison était importante, c'est M. Crapoussin qui aurait écrit. Et ne m'appelle pas ainsi, nom d'une pipe.

– Oncle Pierre, écoute...

– Pas question, j'ai dit! Je sais que tu aimerais retrouver Cagouille. Je comprends aussi ton envie de partir. J'ai connu ça.

Je n'ose plus rien dire. Je connais l'erreur de jeunesse de mon père qui a quitté la maison sans l'accord de ses parents, et leur a ainsi brisé le cœur. Jamais je ne ferai une chose pareille. Moi qui l'ai déjà tellement blessé.

Il me tape sur l'épaule, glisse la lettre dans ma poche, puis me décoiffe affectueusement.

– Va, mon fils, c'est l'heure du Collegium. Courage, il est difficile d'être un héros la nuit et d'étudier le jour. N'oublie pas que je suis fier de toi. File !

En sortant de la maison, je suis de méchante humeur. Mais le spectacle sidérant sur lequel je tombe me fait oublier ma déception. Ce sont d'abord des cris de désespoir qui attirent mon attention. Ils sont poussés par la femme du paysan que nous avons rencontrée tout à l'heure. Elle lève les bras au ciel, pousse de longs « aïe aïe aïïïe ! » déchirants, tout en suivant un étrange cortège qui se dirige vers sa demeure.

– Oncle Pierre ! Viens voir ça !

Mon père me rejoint avec une seule béquille, appuyé sur Bathilde qui a quitté son atelier en entendant les hurlements.

– Où ont-ils trouvé cette statue ? demande ma sœur.

– Oooh ! Ça n'est pas une statue. C'est le paysan qui voulait désherber les Sillons du Diable !

Nous rejoignons le groupe d'hommes qui portent Nestor sur leurs épaules. On le croirait transformé en mannequin ! Il brandit toujours sa pioche, et se trouve dans la position inclinée qu'il devait avoir en donnant des coups dans la terre. Comme si, au moment où son outil touchait le sol, une force inconnue l'avait soudainement figé.

Tous, nous entrons dans la chaumière. Là, on dépose le pauvre homme sur une chaise, tant bien que mal. Ses membres rigides ne bougent pas d'un millimètre. Ses yeux grands ouverts restent fixes, comme s'ils étaient peints sur un visage de bois. On le touche, sa peau est encore souple. Un malin place son doigt mouillé sous les narines du paralysé, puis rassure la paysanne :

– Il respire, il est en vie. Mais il est raide comme s'il était gelé !

– Mon Nestor ! Attention vous autres, n'allez pas me le casser.

– On dirait que les os et les muscles sont changés en pierre. Mais le reste a l'air de fonctionner. Qu'est-il arrivé ?

– Maudits Sillons du Diable ! Ce nigaud est allé y donner des coups de pioche.

À ces mots, ceux qui sont penchés sur le statufié se rejettent en arrière. Les autres font des gestes pour conjurer le mauvais sort. La curiosité cède la place à la peur. L'un des gars suggère d'aller chercher le médecin. Une femme propose d'appeler un prêtre. L'instant d'après, tout le monde a quitté la demeure comme si la peste s'y trouvait. Nous restons seuls avec la paysanne qui sanglote. Puis mon père me fait signe de déguerpir.

Mais avant que j'aie passé la porte, il me rattrape en clopinant.

– N'en parle pas. Tu n'as rien vu. Laisse la rumeur colporter cette histoire sans t'y mêler.

– D'accord.

– Et, surtout, pas de raccourci. Ne quitte pas la route d'ici à la porte de Deux-Brumes.

II

Les larmes du père Geignard

Si j'ai appris une chose au Collegium, c'est l'art de somnoler en classe tout en ayant l'air d'écouter. Maître Georginio nous fait la lecture d'un vieil ouvrage, debout derrière son lutrin[1]. Je m'intéresse surtout aux mouches qui volettent dans la lumière tombant de la fenêtre sur son livre. Par instants, elles ressemblent à des paillettes d'or.

Soudain, il s'interrompt et lève le nez pour scruter l'auditoire. Sa petite moustache élégante frémit, signe qu'il est agacé.

– Silence ! Qui pleurniche pendant ma leçon ?

Tout le monde se regarde. En effet, des sanglots et des reniflements étouffés se font entendre. Mais ça ne vient pas de la salle. Deux coups timides sont frappés à la porte, et c'est de là que proviennent les pleurs. Aussitôt, toute la classe se met à chuchoter :

---

1. Pupitre où l'on pose un gros livre pour le lire.

– C'est Geignard! C'est le père Geignard!

Et l'on glousse, et l'on pouffe, avec l'habituelle ironie dont ce pauvre homme fait les frais.

Le père Geignard est un grand artiste, et le meilleur professeur de musique du royaume. Mais il souffre d'un handicap pénible : une sensibilité démesurée qui le fait pleurer à tout instant. On le contrarie? Il pleure. On le complimente? Il pleure. Il joue un air joyeux sur son luth? Il pleure. Une mélodie triste? Il pleure. Il croise un mendiant? Il pleure. Une jolie fleur? Il pleure... Bref! Son hypersensibilité fait la fortune des marchands de mouchoirs, et l'amusement moqueur de nombreux élèves.

Je suis assis près de la porte, c'est-à-dire au fond de la classe. Magister Georginio s'adresse à moi :

– Kazhdu! Ouvrez et faites entrer.

Je m'exécute. Le visage boursouflé du père Geignard apparaît. Il se mouche mélodieusement et la classe rigole. Dans sa jeunesse, ce talentueux musicien était moine. Il en a gardé l'habitude de revêtir de longues robes à capuchon. Mais celles qu'il porte maintenant sont cousues dans des tissus précieux et brodés. Elles donnent à sa silhouette quelque chose d'un magicien. Le père Geignard a également conservé la tonsure, quoique sans avoir à se raser le crâne. Il perd tout simplement ses cheveux.

Au lieu d'entrer, le musicien fait signe à Magister

Georginio de venir dans le couloir. Celui-ci nous donne un exercice à faire et le rejoint.

Je referme derrière notre maître. Mais, intrigué, je ne retourne pas à ma place. L'oreille plaquée contre la porte, j'écoute leur conversation. C'est le père Geignard qui commence, éclatant en sanglots après avoir dit trois mots.

– J'ai réfléchi à votre proposition. C'est non ! Je refuse catégoriquement !

– Non mais, Geignard, vous êtes fou ? Ça n'est pas une proposition, c'est un ordre. Un ordre d'en haut !

– Vous me menacez ?

Et le voici qui pleure comme un grand bébé. Puis, après un coup de trompette dans son mouchoir, il poursuit :

– Je ne veux pas quitter le Collegium. J'ai mes classes ! J'aime mon école. Je veux rester ici. Je suis un professeur, et le meilleur !

– C'est justement parce que vous êtes le meilleur que l'on vous réquisitionne.

– Réquisitionne ? Suis-je donc un objet ? Une marchandise ?

– Pour nos maîtres, nous sommes tous des objets. Et c'est un honneur d'être choisi comme l'instrument de leur gloire.

– Vous êtes un fanatique, Georginio ! Moi, je suis un artiste. Ma mission est ici, au Collegium. Je refuse d'obéir, je ne partirai pas. Ma décision est irrévocable !

– Père Geignard, vous allez au-devant de graves ennuis. Vous êtes prévenu.

– Encore des menaces ? Bien le bonjour, Georginio, et ne me parlez plus de cette affaire.

J'entends le père Geignard s'éloigner dans le couloir, encore sanglotant. Vite, je regagne ma place, juste quand notre maître nous rejoint et retourne à son estrade. Il a l'air fort inquiet. Je le suis aussi, car Magister Georginio, ce traître, participe au complot de l'Archiduc et du prince Viktar. Et je le soupçonne de vouloir y impliquer le pauvre professeur de musique.

Le soir venu, je traîne à la bibliothèque en attendant que l'école se vide. Lorsque le bâtiment est désert, je me rends au jardin où je me retrouve seul. Cet espace fleuri est un écrin paisible, au cœur d'une ruche où se distille le miel de la connaissance. J'y fais souvent cette espèce de pèlerinage. Là, je m'assieds sur le banc où j'avais l'habitude de discuter avec Phélina. À l'endroit même où, naïvement, je lui avais parlé de fiançailles. Les yeux fermés, je revis en pensée ces bons moments, même s'ils n'étaient qu'une illusion.

Phélina, celle que j'ai connue avant qu'elle épouse

le prince Viktar, n'existe plus. Son immersion dans l'étrange mixture alchimique l'a totalement métamorphosée. Ses cheveux blonds sont devenus roux. Ses yeux bleus sont maintenant verts comme la substance dans laquelle elle a failli se noyer. Ce liquide grâce auquel les Ratakass deviennent des rats plus forts, plus intelligents, et plus dangereux. C'est d'ailleurs une transformation similaire qu'a subie Phélina. Oh, elle n'en est pas moins belle. Au contraire ! Elle avait l'air d'une princesse, et maintenant on croirait une déesse. Mais une déesse guerrière, qui marche au côté d'un époux puissant et démoniaque.

Voici de nombreuses semaines que l'on n'aperçoit plus Phélina à Deux-Brumes. C'est en vain que je traîne souvent près du château de l'Archiduc, en espérant la voir passer à cheval. Tant mieux. Depuis que je ne croise plus la nouvelle Phélina, je me remémore mieux l'ancienne. La Phélina que j'aimais.

J'enfouis mon visage dans mes mains, les souvenirs défilent. D'une fenêtre, deux étages plus haut, une mélodie mélancolique jouée sur un théorbe[1] me parvient. C'est le père Geignard, qui a coutume de rester le soir pour répéter ses chansons. Sa voix se

1. Luth à deux manches traversés par de nombreuses cordes.

joint à sa musique. Les paroles, comme un fait exprès, racontent un amour malheureux.

Je reste plongé dans mes pensées, bercé par la romance, lorsqu'un *clong!* dissonant met fin brutalement au concert. Il s'ensuit un bruit de bois brisé, qui n'annonce rien de bon pour le précieux instrument. Le père Geignard cesse de chanter. D'une voix effrayée, il commence à protester :

– Qui êtes-vous ? Que voulez-vous ? Laissez-m... mmh... mmh...

Sa voix s'éteint comme si on l'étouffait. Je me précipite vers le mur. Ah, si j'avais mes gants-griffes ! Tant pis, je tente quand même l'escalade. Il serait trop long d'entrer dans le bâtiment pour prendre l'escalier.

Pas facile de grimper à la force des doigts ! Néanmoins, grâce aux aspérités des pierres et au prix de quelques ongles, je réussis à atteindre le rebord de la fenêtre. Je me jette à l'intérieur sans précaution et me retrouve dans la salle de musique. Les intrus qui l'occupent sont aussi surpris de me voir que moi de les trouver là.

Ce sont deux Discoboles, soldats d'élite de la garde personnelle du prince Viktar. Leurs pèlerines ouvertes révèlent des armures de cuir serties d'argent, et renforcées d'écailles cuivrées. Ils ont bâillonné ce pauvre père Geignard qui se défend faiblement.

En m'apercevant, l'un des Discoboles saisit un disque d'acier à sa ceinture et le jette dans ma direction. Il ne me faut qu'une fraction de seconde pour réagir et éviter le projectile. Surpris par ma vivacité, le guerrier pousse un juron dans sa langue, agitant le bouquet de tresses blondes qui lui fait une crinière, tel un lion en colère. Il se jette vers moi avec une puissance terrifiante ! Sans réfléchir, je bondis sur une chaise et vers les poutres du plafond. Mon réflexe est de m'y suspendre par les griffes ! La force de l'habitude. Quel idiot je suis... Mes doigts glissent et je retombe par terre. Le Discobole saute sur moi et me plaque au sol, sa sandale cloutée écrasant ma poitrine. Sa jambe, qui me rive contre le plancher, me fait l'effet d'une colonne de marbre. Je n'arrive pas à me dégager.

Alors, il prend à sa ceinture un second disque d'acier, au pourtour acéré comme un rasoir. Il dégaine une espèce de manche sanglé sur son dos, et fiche le disque dans une encoche métallique à l'une des extrémités. Un déclic se fait entendre. L'ensemble forme une sorte de hache à tête circulaire. La vue de cette arme me donne des sueurs froides. Il l'élève et s'apprête à l'abattre sur mon front. J'agrippe sa cheville, mais impossible de lui échapper !

L'autre Discobole l'interpelle. Le coup qui allait m'achever est suspendu dans sa course.

— *Myorta, d'irv kotri ym ervediv.*

— *Ym ervediv eoz ságkiwit fa dicqe!*

— *Qyt fa typf! Da tips mat uqfqir.*

Mon Discobole cède à l'ordre qu'il vient de recevoir, quel qu'il soit. Il m'appuie encore plus brutalement sur le thorax, ce qui me laisse suffocant, puis rejoint son partenaire. Lorsque je retrouve mon souffle, ils ont disparu avec le père Geignard.

Je quitte le Collegium à toutes jambes. Où les Discoboles emmènent-ils leur victime? J'interroge des boutiquiers à leurs étals, mais tous prennent un air apeuré et prétendent ignorer de quoi je parle. Un mendiant, après qu'une portion du contenu de ma bourse soit passée dans sa poche, me met finalement sur la bonne voie.

— Ouais, deux étrangers à sandales viennent de passer.

— N'y avait-il pas un troisième homme avec eux?

— Nenni.

— Réfléchissez bien!

Il prend un air pensif et tend sa paume. J'y laisse tomber encore un sou.

— Y transportaient un grand sac qui s'agitait comme s'il était rempli de furets.

— Vers où?

Il m'indique une rue adjacente. Je m'y précipite, mais ne retrouve pas les Discoboles. Cependant, la direction est celle du château et je décide de la suivre. Bien m'en prend ! Car je retrouve les deux guerriers dans le haut quartier de Deux-Brumes, peu avant les grilles qui défendent l'entrée de la forteresse de l'Archiduc. L'un des Discoboles transporte un sac sur ses épaules, assez grand pour contenir un homme. Le père Geignard, enfermé à l'intérieur, ne bouge plus. Il a dû perdre connaissance, on ne l'entend même pas sangloter.

La herse s'élève, puis s'abaisse derrière les Discoboles et leur fardeau. Ils disparaissent dans la cour du château. Impuissant, je reste planté au milieu de la rue. Cette nuit, Chat Noir va réapparaître à Deux-Brumes. Avant que le jour se lève, j'aurai la réponse à ce mystère.

Lorsque je rentre chez moi, des coups frappés sur l'enclume résonnent dans tout le moulin. Je retrouve Bathilde et mon père à l'atelier. Ils s'affairent à mettre en forme une pièce d'acier effilée. C'est un élément d'appareillage, une invention de ma sœur, destiné à rendre aux jambes d'oncle Pierre assez de rigidité pour se tenir debout.

– Qu'est-ce que tu veux ? Ça n'est pas le moment de nous déranger.

– Mes gants-griffes. Ils sont prêts ?

Bathilde replonge le métal dans les braises et va chercher les gants-griffes dans leur cachette. Mon père secoue la tête et dit :

– Tu as l'air pressé d'aller te faire tirer dessus. Attends que la ville dorme profondément. C'est plus prudent.

– Non, pas de temps à perdre. J'irai au château de l'Archiduc dès le crépuscule. Le père Geignard vient d'être enlevé.

Je raconte les événements de la soirée. Mon père fait la grimace. Bathilde remue le fer dans la fournaise et suggère :

– Peut-être le prince Viktar a-t-il envie d'apprendre la musique ? Après tout, c'est un monstre raffiné.

Mon père la détrompe :

– Si Viktar avait besoin du père Geignard, c'est à son propre domaine qu'on l'aurait emmené, le manoir des Belorgueil. Pas au château de l'Archiduc.

Je suis sur le point de quitter l'atelier, avec l'intention de dormir un peu avant la nuit, quand je repense à notre voisin Nestor.

– Et le statufié, des nouvelles ?

– Rien de changé. Il est en vie, mais reste aussi raide que la justice. Ni le prêtre ni le médecin n'y comprennent rien.

– Voilà un autre mystère que je compte bien élucider cette nuit.

– Non, Sasha! N'approche pas des Sillons du Diable. Il y a là un danger qu'il faut comprendre avant de s'y confronter.

– Bah! Si tu étais encore Chat Noir, je suis certain que tu n'y résisterais pas.

Mon père sait bien que j'ai raison. Et Bathilde, qui ne peut plus se retenir de frapper le métal rougeoyant, noie sa réponse dans un fracas assourdissant.

*

Le soleil couchant ensanglante l'horizon. Je profite des ombres qui s'allongent pour rejoindre les remparts sans être vu. Il est très difficile d'en approcher. En effet, la ville est entourée de campements militaires. Une véritable fourmilière de soldats sur le pied de guerre. Et il en arrive davantage chaque jour! Les officiers, quant à eux, sont logés au château.

En deux semaines, cette armée rutilante d'acier, aux chevaux caparaçonnés, a répondu à l'appel de l'Archiduc de Motte-Brouillasse. Et s'y ajoute la piétaille que les sergents recrutent en ville, à grand renfort d'écus et de bouteilles de vin.

Mon père affirme que c'est insuffisant pour se lancer à la conquête du royaume. Les armées fidèles à la Reine sont bien supérieures à tout ce que l'Archiduc peut rassembler. Mais les Ratakass du prince Viktar sont une arme secrète destinée à inverser le rapport de force. En sont-ils vraiment capables ?

Sans quitter l'ombre, je contourne des soldats occupés à astiquer leurs armures. Puis je grimpe sous une tourelle et franchis furtivement les créneaux du rempart. Je me retrouve enfin en territoire familier, dans la ville et sur les toits, courant et bondissant d'une maison à l'autre. Quel bonheur de retrouver mon terrain de jeu !

Pénétrer dans l'enceinte du château est une affaire facile. L'animation est telle, avec la foule d'hôtes de marque et leurs suivants qui s'y bousculent, que l'attention des gardes néglige les hauteurs où je me faufile. Je connais les lieux, le toit de la chapelle est le meilleur point d'observation. Du sommet d'un mât où flotte un drapeau aux armes des Motte-Brouillasse, je me projette vers le clocher par un double saut périlleux. Mes griffes agrippent l'ardoise. D'ici, j'ai une vue parfaite sur les fenêtres éclairées du donjon.

C'est plus fort que moi, j'y cherche Phélina du regard. Mais au lieu de la trouver, derrière les carreaux de la chambre qu'elle occupa un certain temps, c'est le père Geignard que j'aperçois ! Je quitte aussitôt mon perchoir. Glissant et bondissant sur les murs et les toitures, je plante finalement mes griffes dans les pierres de la tour centrale.

Le rebord de fenêtre est assez large pour que je m'y tienne accroupi de profil. J'allonge discrètement le bras pour ouvrir davantage le battant entrouvert. À quinze mètres de haut, les petites silhouettes colorées que je vois s'agiter en bas semblent bien dérisoires. Il s'agit cependant des meilleurs chefs de guerre et chevaliers de l'Ouest du royaume.

Je distingue tout ce qui se passe dans la pièce. C'est un véritable spectacle ! Le mobilier de ce qui fut la chambre de Phélina a été entièrement déménagé. Plus de lit, mais l'estrade qui le surélevait est toujours présente. Sur celle-ci, comme sur une petite scène de théâtre, deux Ratakass se tiennent sagement côte à côte. Ils sont vêtus d'habits taillés à leur mesure. L'un porte un gilet de velours grenat avec des broderies de soie, digne d'un grand seigneur, et l'autre un pourpoint ajouré moitié bleu et moitié jaune. Ce dernier est également coiffé d'un minuscule chapeau coincé sur ses oreilles aux poils saillants. Son compagnon porte des boucles d'oreilles dorées qui lui donnent un air canaille. Tous deux ont la taille prise dans de petites ceintures, où un fourreau abrite une dague moins grande qu'une aiguille.

Face à eux, derrière un pupitre, le père Geignard fait le tri parmi une liasse de parchemins. Ce sont des partitions, je les distingue d'ici. Il marmonne devant les Ratakass impassibles.

– *Air pour faire lever la patte droite. Air pour faire lever la patte gauche.* Mouais… *Air pour faire avancer. Air pour faire reculer.* Bof. *Air pour faire sautiller.* Tiens, pourquoi pas ! Essayons ça.

Il pose la partition devant lui et se met à jouer sur une grande flûte. La mélodie est simple, pas vraiment jolie. Mais elle a l'effet d'un ordre sur les Ratakass ! Les deux petites bêtes se mettent aussitôt à faire de petits sauts sur place.

Le père Geignard cesse, et les Ratakass s'immobilisent. Puis il joue à nouveau et les sautillements reprennent. Le professeur de musique pose sa flûte et se met à rire comme un enfant.

– Époustouflant ! Positivement époustouflant ! Voyons… Qu'avons-nous d'autre ? *Air pour faire se rouler sur le dos. Air pour faire avancer en zigzag. Air pour faire grimper…*

La porte de la pièce s'ouvre sans avertissement, faisant sursauter le père Geignard. Ses mains commencent à trembler et des sanglots montent de sa gorge. C'est l'Archiduc en personne qui fait son entrée. Je m'aplatis davantage dans l'ombre.

L'Archiduc affiche une mine bienveillante. Son ample tunique aux manches bordées de fourrure lui donne un volume impressionnant. De la tête aux pieds, boucles, chaînes et médaillons tout en or le font scintiller dans la lumière des candélabres. Le père Geignard s'incline jusqu'au sol.

– Votre Ss... Ss... Seigneurie. Quel... Quel honneur !

– Ah oui ? Un honneur que vous avez pourtant refusé ! Il a fallu vous traîner ici de force. Je devrais vous châtier !

– Oh, mais c'est que... Votre Seigneurie. Pas du tout ! Pas du tout ! C'est que... C'est un malentendu...

Le père Geignard s'embrouille et commence à pleurer. L'Archiduc lève les yeux au ciel. Il prend le pauvre homme par l'épaule et le redresse.

– C'est bon, oublions cela. Vous êtes ici, à ma disposition, c'est tout ce qui compte. Me voici prêt pour ma première leçon. Mon chambellan vous a expliqué ce que j'attends de vous ?

– Oui, Votre Seigneurie. Je dois vous apprendre la musique, avec ces partitions qui commandent à ces... ces... ces gentilles petites bêtes.

– Vous avez compris. Alors, cessez de pleurnicher et commencez. J'attends !

J'assiste à la première leçon de musique de l'Archiduc. Tout au long, j'ai un mal fou à ne pas éclater de rire. Lorsque le maître joue les airs de commandement, les Ratakass exécutent les ordres parfaitement. Mais lorsque l'Archiduc, avec une flûte incrustée de joyaux, tente de l'imiter, le résultat est carrément comique. À un moment donné, je manque de tomber de mon perchoir, tellement le rire que je retiens me secoue violemment. Voulant leur commander de tourner sur eux-mêmes, l'apprenti musicien a joué une cacophonie que les Ratakass interprètent comme l'ordre d'uriner sur le plancher. L'incident met fin à la leçon.

– Oui, bon! grommelle l'Archiduc. Ça ira pour ce soir. J'ai la tête ailleurs.

– Ça va venir, Votre Seigneurie. Avec un peu de travail.

– Voilà. D'ailleurs, comme vous le savez, nous partons en campagne très bientôt. Et vous m'accompagnerez. Nous aurons du temps pour les leçons. Aaah... Ne recommencez pas à pleurnicher, père Geignard! De quoi vous plaignez-vous? Vous serez logé sous la meilleure tente et traité comme un noble.

– Oui... *Snif!* Mais... Quitter Deux-Brumes? *Snif!* Mon Collegium... Mes élèves... *Snif!*

– Ne soyez pas égoïste, Geignard! J'ai besoin de votre enseignement pour faire la guerre. Ces petites partitions et leurs ordres ridicules ne sont que des exercices. Il me faut savoir la musique pour commander aux Ratakass pendant qu'ils mèneront leurs batailles! Et à des Ratakass guerriers armés et entraînés, pas de petits mignons comme ces deux-là.

L'Archiduc prend le père Geignard par le bras et l'entraîne vers une armoire verrouillée. Il prend des clefs au trousseau qui pend à sa ceinture et ouvre le meuble. Il en tire un énorme livre dont la reliure semble faite dans le cuir d'un dragon. Des lettres incrustées à l'or fin s'étalent sur la couverture. Une sangle à boucle cadenassée le tient solidement fermé. À voir comme il le manipule, le volume semble très lourd.

– Voilà, mon livre de bataille! déclare fièrement l'Archiduc.

– *Snif...* Ce sont des partitions, là aussi?

– Tout à fait! Mais les partitions de ce livre sont des ordres de guerre. Des commandements pour l'armée des Ratakass! Pas question de les jouer en chambre, hein? Les interpréter en dehors d'un champ de bataille serait trop dangereux. C'est pourquoi vous allez m'apprendre la musique avec ces exercices inoffensifs dont vous avez les partitions.

Lorsque je saurai jouer ceux-là, il me sera facile d'interpréter les musiques de mon livre de guerre.

– C'est terrible ! Je veux dire... C'est fantastique, Votre Seigneurie. Mais d'où tenez-vous ceci ?

L'Archiduc range l'énorme volume et referme l'armoire. Puis il enlève son chapeau, laissant apparaître son crâne luisant comme un œuf verni.

– Je le tiens de mon ami et bienfaiteur, qui va m'aider à conquérir la couronne qui me revient de droit ! Celui qui m'offre les Ratakass et qui, pour l'instant, est le seul à savoir les commander. Mon compagnon d'honneur, le très honorable prince Viktar !

Soudain, je me rends compte que les deux rats ont disparu. Intrigué, je me penche un peu à l'intérieur. Ils sont juste en dessous de moi, au bas de la fenêtre, les moustaches frémissantes. C'est à l'odorat qu'ils ont dû me détecter. Nous nous retrouvons nez contre museaux et ils sursautent de surprise.

Poussant des cris stridents, les deux petites bêtes donnent l'alarme. L'Archiduc dégaine aussitôt son épée et appelle les gardes. La porte s'ouvre à la volée sur des hallebardiers qui foncent vers la fenêtre.

Je me laisse descendre le long du mur et me projette en arrière, poussant de toute la force de mes jambes. La vrille retournée que j'exécute me propulse au travers d'une volée de flèches montant de la cour.

- Au Chat! Au Chat! s'écrie-t-on dans tout le château.

Il est loin le temps où la panique me donnait des ailes. Le mouvement précis, plus rapide que l'œil des archers qui me visent, j'échappe à la menace sans m'affoler. En quelques bonds, j'ai franchi les remparts. Puis je griffe la pierre en glissant le long de la paroi, avant de disparaître dans les ténèbres qui baignent la campagne.

III

Le prisonnier de Mama Pouss

Si les statues ont une âme, je sais maintenant ce qu'elles ressentent : la sensation affreuse d'être prisonnières de leur propre corps. Bathilde me cale dans l'angle du mur, à l'opposé de la cheminée. Elle a bien tenté de m'installer sur la banquette, mais la position dans laquelle je suis paralysé, debout avec une jambe pliée, un bras en l'air et l'autre tendu devant moi, n'a pas rendu la chose possible. Non seulement je suis figé, mais j'ai en plus une pose ridicule ! Elle me donne des tapes sur la joue et s'adresse à mon père :

– Tu crois qu'il nous entend ? Qu'il ressent quelque chose ?

– Non, il est sûrement dans une sorte de coma. Heureusement pour lui, pauvre Sasha. Mais il est en vie, c'est déjà ça.

Dans le coma ? Mais, pas du tout ! J'entends tout, je vois tout ! Je suis parfaitement conscient !

– Enlève-lui ses gants-griffes et sa veste de Chat Noir. On ne sait jamais, si quelqu'un entrait...

– D'accord, oncle Pierre. Mais la veste, je vais devoir la découdre. Impossible de la retirer sans lui casser un membre.

Ma sœur, c'est dans sa nature, joue les insensibles. J'aperçois cependant des larmes qui tombent de ses grands yeux noirs.

– Le voici dans le même état que le voisin Nestor. Cette fois, nous connaissons la cause du mal.

– Mais pas le remède.

Bathilde apporte à mon père la minuscule flèche d'arbalète qu'on m'a retirée de la cuisse. La pointe porte encore un peu du poison paralysant qui court en ce moment dans mes veines.

Mon père tapote de sa béquille une petite cage, dans laquelle un Ratakass en armure de cuir mordille les barreaux. Mama Pouss crache vers lui. Le rat se réfugie au fond de sa prison et montre ses dents rougeâtres.

– Si Mama Pouss pouvait parler, elle nous raconterait ce qui s'est passé.

Et si mes muscles n'étaient pas pétrifiés, je vous le dirais moi-même !

Après avoir fui le château, j'allais rentrer au moulin par le passage secret près du pont. De là, pour la seconde fois, j'ai aperçu les Sillons du Diable dans un champ. On aurait dit des veines chargées de lave affleurant la surface du sol. Malgré la fatigue, j'ai cédé à la curiosité et je m'en suis approché.

Mama Pouss, pour qui c'était l'heure de la chasse, m'avait rejoint. Ensemble, comme deux matous voulant surprendre des oiseaux, nous avons rampé dans le champ strié de lumière. Quelques bruits provenant de sous la terre nous parvenaient. Des piétinements et des piaillements faciles à identifier. J'ai chuchoté à Mama Pouss :

– Il y a des Ratakass, là-dessous ! Ce sont des passages, un réseau de galeries juste sous la surface. Ils se déplacent comme des taupes !

– *Grrr !*

Mama Pouss grognait, les oreilles couchées.

– Mais d'où provient cette lumière ? Ont-ils de petites lanternes ?

Avec mes griffes, j'ai commencé à gratter la surface d'un sillon lumineux. Une flaque de lumière est apparue sous mes doigts.

Oubliant toute prudence, je me suis mis à creuser à pleines mains, dégageant une portion d'un étroit tunnel. À l'intérieur, une file de Ratakass circulait prestement en direction de Deux-Brumes. De vrais petits soldats bardés de cuir et d'acier !

Ils étaient équipés d'armures adaptées à leur

anatomie, et portaient de petites arbalètes sanglées sur le dos. Chacun avait à sa ceinture une fiole tenue par un cordon. Dans ces petites bouteilles, un liquide doré et lumineux produisait de l'éclairage. Voilà le secret de ces lumières souterraines ! Des hordes de Ratakass chargés d'un liquide luminescent, qui circulent en sous-sol !

Étant donné la quantité de sillons lumineux, ils devaient être des milliers. Que dis-je, des milliers... Des dizaines de milliers !

Mama Pouss s'est penchée et s'est mise à cracher. En réponse, un concert de cris aigus a donné l'alerte ! À cet instant, j'ai vraiment eu peur, persuadé qu'ils allaient surgir en masse et nous submerger. Au lieu de cela, les Ratakass se sont mis au travail pour reboucher l'ouverture que j'avais pratiquée et ont disparu à nouveau sous le sol. Cela a été rapide ! J'étais stupéfait. Mais, soudain, avant que le tunnel soit complètement bouché, l'un d'entre eux a bondi hors du trou et s'est planté devant nous avec son arbalète.

Alors, le Ratakass a trempé une de ses flèches dans le liquide de sa fiole. La pointe en est ressortie lumineuse comme un fer rougi. En une seconde, il en avait armé son arbalète et le trait partait vers moi. Je l'ai esquivé d'une roulade. Le projectile s'est perdu dans la nuit, comme une étoile filante. Aussitôt, je me suis jeté comme un fauve sur mon agresseur. Hélas, il avait déjà empoisonné une seconde flèche qui est venue se planter dans ma cuisse. La paralysie fut immédiate ! Je suis retombé sur le sol, raide comme une statue basculant de son socle.

À aucun moment je n'ai perdu conscience. Les yeux ouverts mais paralysés, je ne voyais que ce qui passait dans mon champ de vision. Joue contre terre, j'assistais par intermittence au combat de Mama Pouss et de notre petit ennemi. D'abord, la minette a désarmé le Ratakass d'un coup de patte, envoyant valdinguer l'arbalète. Puis le rat a empoigné sa fiole, et l'a jetée vers la gueule ouverte de Mama Pouss qui crachait de colère. Un autre coup de patte a détourné le projectile qui s'est brisé contre un caillou. Le contenu s'est répandu, comme une petite flaque de lave que le sol a bue aussitôt.

Les deux adversaires ont disparu un moment, puis j'ai vu passer Mama Pouss en courant, le rat en travers de la gueule, prisonnier de ses crocs. De toute évidence, elle a dû foncer vers le moulin pour donner l'alerte. Peu après, elle est revenue avec ma sœur, qui m'a porté sur ses épaules jusque chez nous.

– Oncle Pierre ? Dois-je le porter dans sa chambre ?

– Non, Bathilde, il fait plus chaud ici, près du foyer. Quand tu auras fini de le déshabiller, essaie de lui enfiler des vêtements ordinaires.

C'est horrible ! J'ai l'impression d'être un meuble. Je ne ressens aucune soif, mon estomac paralysé ne réclame pas à manger. Étrangement, je n'ai pas envie de dormir non plus. La nuit s'annonce longue. Très longue.

Je redoute de rester seul. Aussi, quel soulagement lorsque mon père s'étend sur la banquette avec l'intention de rester près de son fils.

Au matin, après des heures longues comme des siècles, j'assiste au déjeuner de mon père qui vient de s'éveiller. Ses cheveux ébouriffés ressemblent à un nid passé dans une tornade. Ma sœur, toujours la première levée, est venue plus tôt s'assurer que je vivais encore. Puis elle est sortie prendre des nouvelles du paysan Nestor. Puisqu'il subit la même chose que moi, mais avec une demi-journée d'avance, il fait office de baromètre prédisant l'évolution de mon état.

Voici Bathilde qui revient précipitamment, tout essoufflée ! Elle rajuste sa ceinture à outils et dit à mon père :

– Oncle Pierre, j'ai deux nouvelles !

– Une bonne et une mauvaise ?

– Exactement. La bonne : Nestor a retrouvé tous ses moyens ! Sa paralysie a duré exactement vingt-quatre heures. Tout à coup, ce matin, il s'est remis en mouvement, et s'est jeté sur sa femme pour lui flanquer une fessée terrible ! La paralysie a disparu comme elle était venue.

– Les effets ne sont pas durables ? Quel soulagement ! Mais... La mauvaise nouvelle ?

Mon père jette un coup d'œil inquiet dans ma direction.

– Le poison des Ratakass paralyse mais n'empêche ni de voir, ni d'entendre, ni de penser. Pendant son immobilité, Nestor était complètement éveillé. Ces heures de paralysie doivent être une véritable torture.

– Pauvre Sasha ! Alors, tu es conscient ?

Mon père s'appuie sur ses béquilles et vient jusqu'à moi. Je suis si soulagé d'apprendre que l'effet du poison est éphémère que j'en pleurerais... si je pouvais. Il demande à Bathilde :

– Pourquoi Nestor a-t-il battu sa femme en retrouvant ses moyens ? Le poison rendrait-il fou ?

– Pas du tout ! Son épouse croyait Nestor inconscient. Alors, elle s'est laissé embrasser devant lui par le garçon de ferme. D'habitude, ils se cachent dans la grange pour faire ça.

Voilà qui m'amuserait beaucoup, en d'autres circonstances. Mais l'idée d'avoir encore de longues heures à jouer les statues me démoralise.

Mon père retourne à son repas. Pensif, il jette un morceau de pain au Ratakass prisonnier, tristement blotti dans un coin de sa cage. Puis, comme il a un cœur d'or, il libère la petite créature qui s'enfuit aussitôt par la fenêtre ouverte. J'en suis heureux, car je n'ai aucune rancune envers ce pauvre animal. Il n'est qu'un pion entre les doigts de notre véritable ennemi, le terrible prince Viktar.

Convaincu que ma paralysie est passagère, l'humeur de mon père s'améliore. Il me tient compagnie toute la journée et me raconte mille anecdotes sur sa vie et ses voyages. À l'approche du soir, il évoque ses souvenirs avec ma mère que je n'ai jamais connue. Puis, tandis que la nuit s'installe, il entre dans un silence empreint de tristesse.

En principe, je n'ai plus que quelques heures à rester immobile ! Bathilde nous rejoint avec de quoi souper. Elle m'inspecte et rajuste les vêtements qu'elle m'a enfilés comme elle a pu. Il en tombe la lettre de Cagouille que j'avais dans une poche. Bathilde la ramasse et mon père, assis au bord de la cheminée, fait signe de la lui apporter.

À la lumière du feu, il relit la prose de Cagouille, pouffant de rire entre les nuages qu'il tire de sa pipe. Tout à coup, il s'étrangle et se met à tousser. Il interpelle ma sœur :

– Incroyable ! Bathilde ! Regarde ! Vois-tu ce que

je vois ? Par les poils de ma barbe ! Comment est-ce possible ?

Elle se rapproche du feu, prend la lettre et ne remarque rien. Alors, mon père passe son doigt sur la feuille, comme s'il dessinait quelque chose. Bathilde pousse un cri de surprise.

– C'est inimaginable ! Oncle Pierre, qu'est-ce que ça signifie ?

– Ça signifie que Sasha et ses moufles vont partir pour Coronora. Dès demain, tu prépareras son voyage.

Puis il se tourne vers moi. Le regard malicieux, il déclare simplement :

– Ton ami Cagouille est vraiment plein de surprises.

Sans autre explication, il coince ses béquilles sous ses aisselles et quitte la pièce aidé par Bathilde. Je reste seul, dévoré par la curiosité.

Il doit être à peu près minuit lorsque mes muscles donnent des signes, douloureux, de retour à la vie. Pendant la demi-heure qui suit, mon corps retrouve graduellement sa souplesse. Mille crampes m'assaillent, puis mes membres redeviennent mobiles. Enfin, quel bonheur, je reprends possession de moi-même ! Comme pour Nestor, le poison paralysant des Ratakass a agi exactement vingt-quatre heures.

La fatigue et la faim se font immédiatement sentir. Pourtant, un peu chancelant, c'est vers la lettre de Cagouille que je me précipite en premier. Je l'examine sous toutes les coutures, relisant le texte, y cherchant des mots cachés... En vain! Je n'y vois rien de nouveau.

Je m'empare d'un morceau de fougasse fourrée au poisson. Allongé sur la banquette, tout en dévorant, j'essaie de détecter un code dans les cagouilleries de la lettre. Rien n'y fait. Vraiment, je ne comprends pas ce que mon père a bien pu y trouver d'extraordinaire! A-t-il vraiment l'intention de m'envoyer à Coronora? Pourquoi ce changement d'avis?

Bathilde et lui doivent être dans l'atelier, à l'heure qu'il est. J'aimerais avoir la force d'aller lui poser la question. Mais l'effort me semble trop grand. Mon corps enfin détendu n'aspire plus qu'au sommeil. Mes yeux se ferment tout seuls. Je m'endors, bercé par le ronronnement de Mama Pouss qui s'installe sur mon ventre.

Les éclats sonores d'une fanfare m'arrachent brutalement au monde des rêves. J'ouvre les yeux. Le soleil bas du matin entre par la fenêtre et blesse mes pupilles. Tandis que les trompettes redoublent d'intensité, je repousse la couverture apparue dans la nuit et je me précipite dehors. Bathilde, mon père et Mama Pouss s'y trouvent déjà.

– Te voilà, mon garçon ! Regarde, tu n'es pas le seul à partir en voyage.

– Comment te sens-tu, petit frère ? Complètement dégrippé ?

– Tout est décoincé, Bathilde. Range ta burette d'huile. Que se passe-t-il ?

– Là-bas ! répond-elle simplement.

Une étendue scintillante s'étale du pied des remparts de la ville jusqu'au milieu des champs avoisinants. Des milliers de casques et de heaumes miroitent sous le soleil. Soldats et chevaliers sont en ordre de marche, rassemblés en formations, prêts à prendre le départ.

Je me hisse sur les épaules de ma sœur qui proteste puis, de là, j'attrape la gouttière du toit de notre moulin et grimpe jusqu'au faîte pour mieux observer la scène. Quelle armée ! J'en ai le souffle coupé. Tous les camps qui entouraient la ville sont levés. Les différents corps d'armes séparés en sections ordonnées attendent les ordres. Plumes et bannières, boucliers peints aux armes des vassaux de l'Archiduc, caparaçons dorés ou cloutés, ajoutent des couleurs chatoyantes à cette étendue de métal rutilant.

Soudain, les trompettes se taisent. Des ordres se

répercutent, criés par tous les capitaines. Un silence impressionnant se fait aussitôt. Seuls le piaffement des chevaux impatients et le bruissement des drapeaux se font encore entendre.

À l'avant des troupes, le prince Viktar se dresse sur son cheval, debout dans ses étriers. Il est superbe. Dans son armure d'or et de cuir, si fine que l'on dirait un habit, il a l'air d'un dieu guerrier. Son beau visage se découpe sur le ciel d'azur, ses cheveux bruns ondulent dans la brise. Autour de lui, également à cheval, les Discoboles de sa garde l'entourent en formant une demi-lune. L'un d'entre eux brandit un étendard aux couleurs du prince Viktar : un disque traversé par un éclair.

Un autre étendard flotte juste à côté, aux armes de l'Archiduc de Motte-Brouillasse. Un poisson à deux têtes, symbole de la rencontre entre la mer et le fleuve au pied de Deux-Brumes. De par sa position, ainsi que par la garde impressionnante qui l'entoure, l'Archiduc s'affiche comme premier maréchal de cette grande armée. Mais sa prestance, quoique magistrale, est éclipsée par le rayonnement de son allié, le prince Viktar.

– Qu'est-ce qu'ils font ? Ho, Sasha ! demande mon père qui voit moins bien d'en bas.

– Viktar, il est debout dans ses étriers. Il attrape un long bâton dans un fourreau sur son dos.

– Sûrement un bâton de commandement[1].

– Non, il le porte à sa bouche. C'est une grande flûte !

Malgré la distance, la mélodie que joue le prince Viktar arrive jusqu'à nous. D'abord une phrase musicale courte, impérative, qu'il répète plusieurs fois. Aussitôt, un phénomène époustouflant se déroule. Tout autour des troupes, une multitude de Ratakass sortent du sol ! Ils étaient là, sous la terre, dans leurs sillons invisibles à la lumière du jour. Leur nombre est si grand que la surface herbeuse disparaît sous leur masse grouillante.

– Qu'est-ce qu'ils font, Sasha ? Ils vont danser, ou quoi ?

– Des Ratakass ! Une armée de Ratakass ! Ils ont surgi de sous la terre. Maintenant, ils se mettent en ordre devant les troupes, comme une armée miniature.

– Tu as de bons yeux, mon garçon.

– Ils brillent sous le soleil, avec leurs petites armures. C'est un spectacle fabuleux. La musique les commande, ils obéissent à la mélodie et se rangent en carrés, en colonnes.

– Ils vont partir. La guerre est déclarée. Deux-

1. Tant qu'il y a eu des rois, les chefs d'armées tenaient un bâton décoré à la main, symbole de leur autorité.

Brumes va être bien paisible. Mais pas le reste du royaume...

Le prince Viktar se rassied sur sa selle et range sa flûte. La horde de Ratakass, dont l'étendue est aussi large que celle des soldats de l'Archiduc, se met en marche en formation géométrique. Des ordres fusent, les trompettes retentissent, et les troupes humaines s'animent.

Le fracas de cette armée couverte d'acier se mettant en marche roule sur la campagne comme un grondement menaçant. Toute la ville, boutiquiers et mendiants, clercs et vauriens, femmes et enfants, assiste au départ de ces troupes qui partent conquérir la couronne.

J'observe longtemps la nappe de Ratakass, suivie de cette forêt de lances, s'éloignant dans la campagne. Lorsqu'enfin ils deviennent minuscules, et que le rythme de leurs pas se perd dans le vent, je redescends de mon perchoir.

Bathilde et mon père sont rentrés depuis longtemps. Je les rejoins près du foyer où ils discutent de mon voyage.

– Sasha, te voilà enfin. Ta sœur est passée ce matin à la capitainerie pour te réserver une place sur un bateau.

– Alors, c'est vrai ? Je vais partir pour Coronora ?

– Absolument. Dans cinq jours, tu embarques sur la *Belle Meunière*. Elle t'emmènera jusqu'à Port-Milieu. De là, tu rejoindras Coronora par la route.

– La *Belle Meunière* ? Quel nom ! C'est une auberge ou un bateau ?

– Un navire transporteur de blé. Le capitaine était un grand ami, de mon vivant. On peut lui faire confiance. Il ne jette pas ses passagers par-dessus bord pour piller leurs bagages, comme beaucoup le font.

– C'est rassurant...

– Des questions ? dit mon père avec un sourire malicieux.

– Oui ! D'abord, qu'est-ce qui t'a fait changer d'avis ? Tu ne voulais pas que je rejoigne Cagouille à Coronora.

– Approche. Examine bien sa lettre.

Je le rejoins près de la cheminée. Je connais le message par cœur et le relire ne m'apprend rien de neuf.

– Eh bien, quoi, à la fin ?

– Regarde mieux. Tu as vu où ton copain se procure son papier à lettres ?

Mon père place la feuille devant les flammes, de telle façon qu'un symbole apparaisse en filigrane. Par transparence, je distingue une couronne aux pointes en cœur, entourée par un dragon se mordant la queue. Je n'en crois pas mes yeux.

– Les armes royales ? Mais, oncle Pierre... c'est impossible ! Qui, à part la Reine, peut utiliser ce papier à lettres ?

– Personne, à part le Chancelier, ainsi que le Connétable du royaume. C'est tout. Enfin... sans compter ton copain Cagouille !

– C'est complètement fou ! Peut-être a-t-il simplement trouvé cette feuille ?

– Où donc ? Au marché aux puces ? Impossible. Ce parchemin est réservé à la correspondance royale. Tu avais raison, le message est sérieux. Eh bien, tu en fais une tête ! Tu n'es pas heureux de partir ?

– Si... Non... Je ne sais plus.

L'idée que, bientôt, la mer m'emportera loin de tout ce que je connais me donne soudainement le vertige.

– Autre question, pèr... oncle Pierre. Pourquoi prendre un chemin plus long, par navire, au lieu de traverser le royaume en chariot de voyageurs ?

– Parce qu'en accostant à Port-Milieu, puis en cheminant vers Coronora, tu pourras faire halte à Belfortain. Par la route, ce serait un trop grand détour.

– Belfortain ? C'est une ville réputée, mais qu'ai-je à voir là-bas ?

Mon père se mange les lèvres un petit moment en fixant le sol. Il finit par lâcher un soupir, puis me regarde au fond des yeux.

– La tombe de ta mère, mon garçon.

*

Je passe les jours qui me séparent du départ dans un état d'excitation mêlée d'angoisse. Au lieu d'aller au Collegium, je reste au moulin où mon père m'enseigne l'art délicat d'entretenir les gants-griffes. Mille fois il me les fait démonter, remonter, graisser et régler. Je ne suis pas vraiment doué pour bricoler, mais j'apprends.

Ma sœur, pendant ce temps, assemble sur l'enclume un objet délicat et mystérieux. Elle utilise des outils fort petits, des feuilles d'or et d'argent, et aboie si nous essayons de voir ce qu'elle fabrique. Finalement, la veille de mon départ, elle termine son ouvrage et l'enveloppe dans un carré de velours. Puis elle me l'apporte et me le donne. C'est une fleur. Une petite rose de métal, d'un réalisme et d'une finesse à couper le souffle.

– Bathilde, je suis profondément touché. C'est un cadeau magnifique. Je la garderai près de moi pendant tout…

– Qu'est-ce que tu racontes ? Ça n'est pas pour toi, idiot ! Je te la confie. Quand tu seras sur la tombe de notre mère, tu la déposeras dans la terre qui la recouvre. Tu as compris ?

Bathilde prend sa voix autoritaire et son air désagréable qui signifie qu'elle est émue. Notre père examine le magnifique objet qu'elle a créé et embrasse sa fille sur le front. Puis il pousse son tabouret à roulettes à l'autre bout de l'atelier et y prend un sac de cuir.

– Tiens, Sasha, ceci est réellement pour toi. Un sac très spécial, avec de solides bretelles pour mettre aux épaules. Je l'ai fabriqué pour toi.

Il me le donne, c'est du solide, du travail bien fait comme tout ce qui sort de ses mains. Mais je n'y remarque rien de particulier.

– Regarde, il y a un mécanisme à l'intérieur qui permet d'ouvrir deux compartiments secrets. Un grand, pour cacher les gants-griffes, ta veste de Chat Noir, ton croque-serrures et ton bâillon-autorité. Et une seconde cachette, plus petite… Tiens, regarde comment on l'ouvre.

Il manipule les sangles et presse sur certains clous d'une façon particulière. Alors, un rabat se détache, révélant une cavité. Dedans se trouvent des rouleaux de pièces d'or serrés les uns contre les autres.

– Oncle Pierre ! Il y a là assez d'argent pour acheter une maison !

– Oui, eh bien, utilise plutôt ces pièces pour voyager confortablement et nous revenir sain et sauf. Tu pourras aussi aider M. Crapoussin et Cagouille. La vie est chère à Coronora. Et les saltimbanques sont fort miséreux.

J'y range l'attirail de Chat Noir, puis je monte dans ma chambre pour finir de faire mon sac. Demain matin, au lever du soleil, la mer m'emportera. Lorsque je redescends, Bathilde sert la soupe. Au-dessus de mon bol, je réalise soudain que c'est la dernière fois que je mange ici, chez moi, avec mon père, avec ma sœur. La dernière fois avant très long-temps. Peut-être la dernière fois pour toujours. Bathilde doit aussi avoir le cœur gros, car elle se met à m'enguirlander :

– Ne pleure pas dans ton bouillon, Sasha. Il est déjà assez salé.

IV

Repose ici et dans mon cœur

– Avez-vous vu Mama Pouss? La chatte qui voyage avec moi. C'est que nous devons débarquer.

– Où veux-tu qu'é' soit, moussaillon? À la cambuse, comme toujours, avec le coq!

Le marin plisse son visage buriné et crache à dix pas, envoyant son projectile faire *plouf!* derrière le bastingage. Après deux semaines à bord de la *Belle Meunière*, le vocabulaire de l'équipage m'est devenu familier. La *cambuse*, c'est la cuisine. Quant au *coq*, c'est le nom que l'on donne au cuisinier du bateau. Mama Pouss s'en est fait un ami, car elle traque les souris dans sa réserve. En échange, le coq l'a gâtée pendant tout le voyage et elle a pris un certain embonpoint.

Je n'avais pas prévu d'emmener Mama Pouss avec moi! Mais au moment des adieux à Deux-Brumes, elle s'est perchée sur mon sac à dos, résolue à ne pas me quitter.

– C'est une grande voyageuse, ne t'inquiète pas pour elle, a dit mon père en riant.

– Et puis, elle est plus dégourdie que toi, a ajouté Bathilde, toujours aimable.

Nous avions les larmes aux yeux de devoir nous séparer. Quand le navire a pris le large, je suis resté sur le pont à leur faire signe de la main, jusqu'à ce que la distance les dérobe à ma vue. En regardant s'amenuiser les remparts de ma ville, il me semblait que l'horizon engloutissait ma vie et mon passé.

Le coq m'accueille avec un large sourire qui comporte plus de trous que de dents. Il me tape sur l'épaule de sa main grasse.

– Alors, moussaillon, le voyage est terminé? Te voilà rendu à Port-Milieu.

– Oui, je débarque. Mais, non, le voyage n'est pas terminé. Je continue par la route jusqu'à Coronora.

– Morbleu! Sois prudent, garçon. Par ces temps, je préférerais traverser une tempête dans une chaloupe que de me promener dans le royaume.

C'est vrai qu'il y a de quoi être effrayé. Depuis quinze jours, les villes du pays redoutent d'être prises d'assaut par les troupes de l'Archiduc. Quant aux populations, elles vivent dans la terreur des Ratakass du prince Viktar, avant-garde de l'armée conquérante.

La *Belle Meunière* a fait de multiples escales

durant notre voyage, afin de livrer des cargaisons de blé dans tous les ports. À chaque halte, nous apprenions qu'une nouvelle cité était tombée aux mains des troupes rebelles. La tactique de l'Archiduc pour s'emparer des villes est simple, mais fulgurante, imparable. D'abord, de nuit, les Ratakass s'approchent des remparts par des galeries souterraines. Ensuite, au petit jour, ils s'introduisent par milliers dans la cité et, de leurs flèches empoisonnées, paralysent tous les hommes d'armes, ainsi que les habitants qui ne se terrent pas chez eux.

Alors, il ne reste plus à l'armée de l'Archiduc qu'à pénétrer et prendre la place, sans même avoir à mener bataille ! Les attaquants disposent de vingt-quatre heures pour désarmer et emprisonner gardiens et maîtres de la ville. Lorsque ceux-ci sortent de leur paralysie, ils ne peuvent que se soumettre, ou rester enchaînés dans les geôles. L'Archiduc place ensuite ses propres vassaux aux postes-clefs du pouvoir. Dès lors, ses alliés dirigent en son nom la ville capturée.

Depuis le début de sa campagne, au moins sept grandes cités sont tombées entre les mains de l'Archiduc. Sa route le conduit droit vers Coronora. Car c'est seulement lorsqu'il aura pris la capitale, et le palais royal, qu'il pourra se déclarer souverain du royaume tout entier.

Je gagne la terre ferme, Mama Pouss juchée sur mes épaules. Nous emportons un sac de victuailles, cadeau du cuisinier bien triste de voir partir la minette. Le port de Port-Milieu rappelle celui de Deux-Brumes. On y retrouve la même population bigarrée : des marins aux gueules sculptées par les embruns, des marchands affairés, des mendiants, des estropiés, des femmes de petite vertu, et quelques voyous aux yeux de fouine à l'affût d'un mauvais coup. Il règne aussi la même odeur de bitume et de poisson pourri. J'en ai des bouffées de nostalgie.

L'un des grands navires à quai s'apprête à prendre la mer. Armé, richement paré, c'est le plus beau bâtiment que j'aie jamais vu. Pas étonnant, il fait partie de la flotte royale ! Sa dunette arrière porte les armoiries de la Reine, recouvertes de feuilles d'or. À bord, l'équipage s'agite et les ordres fusent :

– Maniez le cabestan ! Hissez le cacatois ! Larguez les amarres !

Les badauds sont nombreux à assister au départ. Je les rejoins, fendant la foule pour me retrouver juste au bord du quai d'où l'on retire la passerelle.

Tout à coup, Mama Pouss se dresse sur ses pattes, les oreilles en alerte, le museau flairant le vent. Puis, sans que je puisse la retenir, elle quitte mes épaules et se précipite, en quelques bonds, à bord du grand bateau ! Impuissant, je la regarde disparaître derrière le bastingage. Qu'est-ce qui lui a pris ? Mon étonnement redouble lorsqu'une voix familière se fait entendre à l'endroit où elle vient d'atterrir :

– Saperlipopetté ! Ma Mama Pouss ? Incroyablé, qué fais-tou là ? Cé qué jé souis heureux dé té voir ! Tou n'es pas vénoue touté seule, c'est impossiblé.

Le sommet d'un grand chapeau que je connais bien apparaît. Son propriétaire le retire, le pose au sol, et grimpe dessus pour scruter la foule dans laquelle je me trouve.

– Monsieur Crapoussin ! C'est vous ?

– Sasha ! Jé n'en crois pas mes yeux ! Tou es vénou mé souhaiter bon voyagé ?

– Pas du tout, c'est une coïncidence. Où partez-vous donc ?

Je m'approche le plus possible du bateau. Sa coque, qui fait comme un mur devant moi, commence déjà à se mettre en mouvement. M. Crapoussin se penche par-dessus bord et nous devons crier pour nous entendre.

– Cé naviré est envoyé par la Reine dans mon pays, à Rivas'Tarak !

– Vous retournez chez vous ?

– Jousté oun aller-rétour, tou n'es pas au courant ? Les Ratakass dé princé Viktar rendent les forcés dé l'Archidouc invincibles. L'armée dé la Reine est pouissante, mais elle né peut pas loutter contré les Ratakass.

– Que venez-vous faire là-dedans ?

Le bateau glisse lentement sur l'eau du port et la distance qui nous sépare grandit. Il nous faut crier de plus en plus fort.

– Sa Majesté envoie des ambassadeurs à Rivas'Tarak, pour démander sécours aux frères dou princé Viktar. Ils l'ont déjà vaincou, loui et ses Ratakass ! C'est peut-êtré lé seul espoir dé sauver la couronné.

– Vous êtes nommé ambassadeur ?

– Non, j'ai été choisi commé interprété. Noul dans lé royaumé né maîtrisé mieux qué moi les deux langages.

Mama Pouss est montée sur la rambarde. Elle frotte son museau contre les favoris de son vieil ami. La voici partie pour Rivas'Tarak ! À présent, je suis seul pour de bon.

La voix de M. Crapoussin se fait de plus en plus lointaine.

– Mais toi, pétit chat, qué fais-tou à Port-Milieu ?

– Vous ne devinez pas, monsieur Crapoussin ? Je vais à Coronora, comme Cagouille me l'a demandé dans sa lettre.

– Lettré ? Jé né souis pas au courant. La Cagouillé t'a écrit ?

– Mais… oui! Enfin, vous avez même corrigé son charabia!

Le navire a pris de l'élan. La voix du petit homme devient presque inaudible.

– Moi? Jé n'ai rien corrigé dou tout. Ça doit être ploutôt sa pétité amie.

– Sa… SA QUOI?

– Sa bonné amie! Son amoureuse, quoi!

– Cagouille a une amoureuse? Comment est-ce possible?

Les voiles du navire sont dressées. Elles claquent dans le vent. C'est à peine si je perçois la réponse.

– Oh, c'est ouné fillé oun peu spécialé. Tou verras. Adieu, pétit chat! Au révoir, si Dieu lé veut!

– Adieu, monsieur Crapoussin! Bon voyage, Mama Pouss!

Le navire tourne sa proue dans l'axe du soleil. Il porte les derniers espoirs d'une Reine en danger et d'un peuple qui l'aime. Il m'enlève aussi deux amis chers à mon cœur.

Je ne reste à Port-Milieu que le temps de trouver un transport pour poursuivre mon voyage. Mieux qu'un chariot de voyageurs, bondé et inconfortable, je paye ma place dans le véhicule d'un drapier. Le commerçant est heureux de recevoir mon or, ainsi que d'avoir un compagnon sur les routes désertes de la campagne.

Après trois jours de cheminement épuisant, car les cahots vous brisent les reins, les hautes tours de Belfortain nous apparaissent enfin. La ville, protégée par un rempart rectangulaire, s'abrite dans une vallée. C'est la région la plus fertile du royaume. Les champs autour de la cité forment un tapis verdoyant. Une pléiade de coquelicots les parsèment, comme des gouttes de sang sur un velours soyeux.

Aux portes de la ville, des gardes inspectent les arrivants. Ils sont nerveux et soupçonneux. Certains, vêtus et gantés de cuir noir, tiennent en laisse des molosses. L'un d'eux fait monter son chien dans notre chariot. Le drapier s'insurge.

– Sortez-moi ce chien de là ! C'est un scandale !

– Du calme, marchand, ce sont les ordres.

– Vos ordres sont de salir ma marchandise et de froisser mes étoffes ? Morbleu, essuyez au moins les pattes de votre cerbère.

– Les ordres sont de chercher des rats ensorcelés. C'est la guerre, étranger. Ces petits démons peuvent se cacher n'importe où.

Mon drapier se tait. Le chien n'a rien trouvé et rejoint son maître. Nous entrons dans Belfortain.

– Il a raison, c'est la guerre. Pas fâché de mettre ma marchandise et ma peau à l'abri d'une ville forte.

Sais-tu où loger, mon ami ? Je te recommande une auberge...

– Non merci, je repars au plus vite. Mais auparavant, je dois trouver une colline.

– Quelle colline ?

– La colline des Pierres-Vieilles.

– Connais pas. Qu'y a-t-il sur cette colline ?

– Ma mère.

– C'est là qu'elle vit ?

– Non, tout au contraire.

Le drapier me regarde avec l'air de se demander si j'ai toute ma raison. Je n'ai pas envie de m'expliquer. Nous nous séparons au marché où il s'empresse d'installer son étal. Les cloches sonnent onze heures du matin. Je cherche par les rues où manger et m'informer. Une femme, qui propose aux passants des pâtés en croûte, m'en vend un aux anguilles. Puis elle m'indique l'emplacement de la colline des Pierres-Vieilles.

– C'est pas un lieu où qu'il a envie d'aller ! dit-elle.

– Qui ça ?

– Lui.

Je comprends qu'elle parle de moi.

– Pourquoi pas ? Elle est hantée, votre colline ?

– P't-êt' ben qu'oui. Y a des pierres du d'iab' là-haut. Et pis la tombe d'une étrangère, une bohémienne, que c'est toutes des sorcières.

Elle fait un signe de croix sur son tablier. Si je n'en avais dévoré la moitié, je lui rendrais ce que je viens de lui acheter. Les gens s'ébaudissent aux spectacles des saltimbanques, mais ils les méprisent et s'en méfient. Au point de leur interdire les cimetières. C'est pourquoi, m'a expliqué mon père, ma mère repose seule, dans la campagne, loin des sanctuaires réservés aux « bonnes gens ». Tant mieux. Je la préfère étendue sous les fleurs sauvages qu'au milieu des imbéciles.

La colline des Pierres-Vieilles fait comme une île sur l'étendue monotone de la vallée. Je n'ai aucun mal à la trouver, puis à y grimper. Fort élevée, elle dresse sa silhouette à une demi-lieue de la ville. Du sommet, j'ai un point de vue d'aigle sur Belfortain. L'après-midi est déjà entamé. Les chansons des paysans travaillant dans les champs alentour montent jusqu'à moi.

Ma mère ne gît pas dans un cimetière, mais elle repose quand même en terre sacrée. Car les *pierres vieilles*, d'énormes blocs allongés dressés vers les cieux, ont une aura mystique. J'en ai déjà vu de pareils dans ma région. Mon père m'a expliqué que, dans un lointain passé, nos ancêtres plantaient ces roches énormes pour adorer leurs dieux primitifs. Sur la crête de la colline, ces pierres forment une couronne. Au centre, les membres du cirque Crapoussin ont creusé la sépulture de celle qui venait de mourir en me mettant au monde. Sous la végétation affleure la dalle qui la recouvre. D'un doigt tremblant, je nettoie la terre masquant les caractères gravés à sa surface. Des mots apparaissent, inscrits par mon père il y a plus de seize ans :

Omiliana Kazhdu
Repose ici et dans mon cœur
Une étoile, une fleur,
Donna la vie qu'elle a perdue

Ma mâchoire se serre si fort que mes dents m'en font mal. À mains nues, je creuse et enterre la rose de métal forgée par Bathilde. Ce sont mes larmes qui l'arrosent. Puis, pendant des heures, je parle au fantôme de ma mère. Finalement, quand je n'en peux plus de raconter ma vie et mes secrets, je m'allonge sur le sol. La nuit s'est installée. Ma veste de Chat Noir en guise de couverture, je m'endors. Peut-être que l'esprit de ma mère viendra me visiter en rêve…

Peu avant l'aube, la terre se met à vibrer sous la paume de mes mains. Je m'éveille en sursaut. Le temps d'un instant, je crois qu'une apparition surnaturelle va se produire ! Mais non, point de fantôme. Il se passe quelque chose dans la vallée.

Je cueille la rosée sur l'herbe et me passe les mains sur le visage. Un grondement, comme un tonnerre lointain, roule sur la campagne. J'enfile mes gants-griffes pour grimper au sommet de la plus haute pierre dressée. De là, je distingue mieux la silhouette de Belfortain. Quelle vision ! Les remparts sont cernés par une immense toile d'araignée lumineuse qui s'étend tout autour. Ce sont les Sillons du Diable. Ils acheminent un flot de Ratakass vers la ville encore endormie.

Le grondement des milliers de pieds et de sabots qui suivent cette avant-garde s'accentue. Dans la pénombre, je distingue la masse formée par cette armée. La rumeur des soldats et les cliquetis mélangés de leurs armes se mêlent au piaffement des chevaux.

Soudain, des trompettes retentissent ! Puis le silence se fait. Des torches sont allumées à l'avant des troupes, brandies par des Discoboles à cheval. Ils encadrent le prince Viktar d'un halo de lumière, faisant rutiler son armure dorée. À côté de lui, je distingue également l'Archiduc de Motte-Brouillasse, perché sur son haut destrier.

Le groupe se détache et avance au milieu des Sillons du Diable. Le prince Viktar se dresse sur ses étriers. Solennellement, il dégaine sa longue flûte. Alors, comme je l'ai déjà vu faire à Deux-Brumes, il commence à jouer un air étrange et répétitif.

La réaction des Ratakass est immédiate. Quittant leurs tunnels, les rats en armure surgissent à la surface. Avec leurs fioles de poison lumineux à la ceinture, ils forment une nappe flamboyante autour de la ville. Elle illumine les premiers rangs de l'armée de l'Archiduc qui attend derrière. Le spectacle créé par ces milliers de petites taches de lumière côte à côte est fascinant.

Le prince Viktar marque une courte pause. Déjà, l'alarme est donnée dans la ville. Les guetteurs font sonner trompes et cloches, mais il est trop tard. Viktar reprend sa flûte et joue un air différent. Aussitôt, le flot de Ratakass se déverse dans la cité, franchissant les remparts qui, couverts de leurs lumières, semblent s'embraser. Les petits démons sont dans la ville.

L'armée de l'Archiduc ne bouge toujours pas. Dans la cité, des cris montent de toutes les bouches. J'imagine ce qui s'y déroule : les Ratakass se répandent dans les rues, paralysant de leurs carreaux empoisonnés tous ceux qui portent une arme ou tentent de s'enfuir.

Le brouhaha dure longtemps, puis s'amenuise. Enfin, lorsque le soleil cligne de l'œil à l'horizon, le silence est revenu dans la cité. Alors, le prince Viktar et ses Discoboles reviennent se placer près de l'Archiduc, qui donne à son armée l'ordre d'avancer. Le pas cadencé des soldats fait trembler le sol. Bien vite ils atteignent la grande porte qu'ils abattent à coups de bélier. Puis ils pénètrent et disparaissent dans la cité de Belfortain, capturée en silence, sans combat ni machines de guerre.

Je reste un bon moment sur mon perchoir, mais le spectacle est terminé. Des hommes de l'Archiduc s'installent derrière les créneaux qui gardent la ville. D'autres réparent la porte, devant laquelle on place des gardes. Lorsque l'étendard aux armes de la Reine, dressé à côté de celui de la cité, est remplacé par le blason de l'Archiduc, je me dis qu'il est grand temps de reprendre la route.

*

L'esprit troublé, je poursuis mon voyage, à pied et en chariot, dormant plus souvent sous le ciel que dans un lit d'auberge. Les questions qui me tourmentent sont nombreuses. J'ai hâte d'atteindre Coronora. Là-bas on éclairera enfin ma lanterne. Qui souhaite rencontrer Chat Noir? Pourquoi me faire quitter Deux-Brumes? Surtout, comment notre capitale résistera-t-elle à la stratégie implacable des rebelles ? Je crains que, dans quelques semaines, le drapeau de l'Archiduc ne flotte sur tout le royaume. Et si ce drame arrive, qui de lui ou du prince Viktar portera finalement la couronne ?

C'est à Coronora que la situation va exploser. Et le destin m'entraîne tout droit au cœur de la poudrière !

V

L'espion fantôme et sainte Sibylle

Les murs dentelés de Coronora, parsemés de tourelles pointues, m'apparaissent enfin. Après vingt et un jours de voyage, ma joie est si grande que je pousse un cri de soulagement. Malgré mon épuisement, car j'ai marché depuis le hameau où j'ai dormi la nuit dernière, je presse le pas. Essoufflé, j'atteins l'immense porte où peuvent passer trois files de chariots.

Le rempart est titanesque ! Il s'étend de chaque côté comme une falaise. Aucune des villes que j'ai vues durant mon voyage ne peut s'y comparer. Voilà qui laisse présager du spectacle grandiose qui m'attend à l'intérieur.

Les gardes, grands, armés et casqués d'acier bleu, portent sur leurs surcots le blason de la Reine, or et noir sur fond blanc. La moustache semble de rigueur ; un accessoire qui ne leur donne pas l'air commode. Ils contrôlent chaque véhicule, chaque piéton, avec courtoisie et fermeté. Deux d'entre eux me prennent à part, me faisant sortir du rang avant que ce soit mon tour.

– Plus de vagabonds ! Retourne d'où tu viens.

– Mais…

– La ville est fermée aux chemineaux[1] jusqu'à rétablissement de la paix. Situation d'urgence. Sois raisonnable, circule !

– Mais, je ne suis pas un mendiant ! protesté-je.

Les deux gardes m'observent en grimaçant, puis échangent un regard entendu. C'est vrai que j'ai la mine piteuse. J'ai tant marché que mes chaussures sont défoncées. Quant à mes vêtements, sous la poussière qui les recouvre, ils sont déchirés en maints endroits par les accidents de parcours.

– Tu as de l'argent ?

– Oui, bien sûr !

– Fais voir.

C'est ennuyeux ! Dans ma bourse ne reste qu'une pincée de deniers sans valeur. Je ne peux tout de même pas ouvrir le compartiment secret de mon sac, et leur montrer ma réserve de pièces d'or ! Ça serait imprudent.

– Mazette ! Un sou et trois deniers ? Quelle fortune !

---

1. Sans-logis qui parcourt les chemins, vivant de petits emplois ou de mendicité.

– Tu te fiches de nous ?

– Pas du tout, je... Écoutez, je suis attendu. J'ai rendez-vous à Coronora.

– Tu connais quelqu'un en ville ? Fallait le dire tout de suite. Dans quel quartier habite ton garant ? Quel est son nom ?

Me voilà encore plus embêté. Je n'ai pas la moindre idée d'où Cagouille se trouve. Mais soudain, le hasard semble vouloir venir à mon secours. Quelle chance ! Non loin, dans la rue que je ne peux distinguer, une voix s'écrie :

– Fais attention, purin de *merdre* !

– C'est lui ! m'exclamé-je.

– Lui qui ?

– Celui qui vient de s'écrier « purin de *merdre* ! ». C'est lui, mon ami, il m'a invité à Coronora !

Les gardes froncent des sourcils soupçonneux. L'un pose son gant de mailles sur mon épaule, et l'autre disparaît. Il revient avec un jeune homme élégant, dont une jambe porte une chausse rouge et l'autre une chausse verte. L'homme d'armes le plante devant moi et lui demande :

– Tu le connais, c'est ton ami ?

– Qui ? Ce vilain ? Jamais de la vie, purin de *merdre* !

– Je m'en doutais.

L'inconnu s'en va. Le garde me repousse

brutalement et me montre la route. Je bafouille, tentant de m'expliquer.

— Écoutez, c'est parce qu'il a dit « purin de *merdre* », j'ai cru...

— Cru quoi ? L'expression est à la mode. Tous les jeunes gens disent « purin de *merdre* ». Ça vient de Cagouille.

— Cagouille ? Mais, je le connais ! Je connais Cagouille !

— Et alors ? Tout le monde connaît Cagouille. Déguerpis ! Tu as de la chance que les cachots soient bondés.

Il touche la poignée de son épée et je préfère battre en retraite. Une auberge que j'ai dépassée plus tôt, à une demi-lieue de la ville, va me permettre d'attendre la nuit. Puisque Sasha reste dehors, c'est Chat Noir qui entrera à Coronora.

À la nuit tombée, dans ma tenue de Chat Noir, avec mon sac sur le dos, j'escalade les remparts au nez et à la barbe des gardes. Puis je me lance de toit en toit, jusqu'au plus haut clocher que je peux trouver. De là, j'ai une vue panoramique de la cité. Une petite brise s'engouffre sous ma capuche. Elle porte les odeurs mélangées d'égouts, de cuisine, et du crottin des animaux domestiques qui errent nombreux sur le pavé.

Coronora est curieusement conçue : comme s'il y avait une petite ville au milieu de la grande ville. Ce point central est une île, située sur le fleuve qui coupe la cité en deux. C'est le cœur de Coronora. J'y distingue le palais royal, la cathédrale, et d'autres bâtiments majestueux. Cette île est défendue par ses propres murailles, entièrement protégée par le fleuve. Elle est reliée aux autres quartiers, sur la terre ferme, par quelques ponts. D'innombrables rues rayonnent de ce centre et s'enchevêtrent jusqu'aux remparts extérieurs. On pourrait faire entrer dix fois Deux-Brumes dans tout cet espace.

Cagouille, dans sa lettre, me donne rendez-vous tous les matins place de Grève. Ce mot signifie la berge du fleuve. Je me rapproche donc de l'île centrale dont les rues illuminées, malgré l'heure tardive, sont encore pleines de passants. La vie à Coronora ne s'éteint pas avec la tombée de la nuit, contrairement à Deux-Brumes.

Depuis les toits élevés où je cours et bondis en silence, je découvre avec émerveillement la diversité des quartiers de la capitale. L'envie me prend de rejoindre l'île centrale, pour grimper aux tours de la cathédrale qui dominent tout le reste. Mais en chemin, une verrière ouverte sur le ciel, entre les cheminées d'un gigantesque bâtiment, attire mon attention. Prudemment, je risque un œil dans la salle qui se trouve en dessous. D'innombrables étagères, flanquées d'échelles coulissantes, abritent des documents et des livres. L'endroit me rappelle la bibliothèque du Collegium. Des moines et des clercs s'y affairent, copiant et rangeant des parchemins à la lumière des candélabres.

Soudain, à quelques pas d'où je me trouve, un bruit de tuiles que l'on déplace me fait sursauter. Quelqu'un a pratiqué une ouverture dans la toiture ! Une méthode que j'ai utilisée bien des fois, pour m'introduire dans des maisons. La personne qui est entrée par là est en train de refaire surface. Vite, je me glisse derrière une cheminée que j'escalade à moitié pour disparaître. Les griffes plantées dans la pierre, j'observe l'étrange voleur qui surgit sous le clair de lune.

Il y a des points communs entre cet individu et moi-même ! Lui aussi porte une capuche qui masque son visage. Lui aussi semble à l'aise sur un toit comme un chat de gouttière. Mais son vêtement n'est pas noir, il est d'un vert sombre avec des reflets soyeux. Et surtout, il n'a pas de gants-griffes. Mais il tient une canne dont il s'aide, en la coinçant en travers du trou, pour s'élancer sur le toit.

Ce personnage inquiétant, certainement un voleur, extirpe de sa veste de nombreux parchemins roulés qu'il vient de dérober dans la salle en dessous. Rapidement, il les examine, en sélectionne quelques-uns qu'il replace sous son vêtement tandis que les autres sont jetés au vent.

Je décide de grimper jusqu'au sommet de la cheminée, pour mieux le distinguer. Je jurerais que mes griffes mordent la pierre sans le moindre bruit. Et pourtant, l'encapuchonné semble m'avoir entendu ! Sa tête se tourne dans ma direction. Comme un lézard, je me fige pour me fondre dans le décor. L'autre reste en alerte quelques instants, puis retourne à ses papiers. Des gouttes de sueur perlent à mon front.

L'étranger en a terminé avec son tri. Il se redresse, souple, vif, et je devine sous sa tunique un corps svelte et musclé. D'un geste du poignet, il fait tourner sa canne qui se déplie avec un cliquetis. L'instrument devient un grand bâton, long d'au moins deux fois la taille de l'individu. Alors, s'aidant de cette espèce de perche, il se propulse sur le toit du bâtiment voisin, puis du suivant, avec une aisance et une rapidité hallucinantes. Je m'élance derrière lui, avec un mal fou pour ne pas être semé !

Finalement, j'atterris sur le toit d'une auberge de quatre étages, qui domine la rue. Des rires d'ivrognes et le bruit de vaisselle qu'on manipule montent jusqu'ici. Quant à mon voleur de parchemins… plus personne. Cette fois, il a disparu. J'inspecte les recoins de la toiture, les bâtiments alentour, en vain. Puis, soudain, provenant de l'obscurité, une voix moqueuse commence à chanter une comptine :

– *Chat prudent vivra longtemps...*

Je m'approche du rebord du toit, car c'est de là que vient la voix. La chanson continue :

– *Chat malin joue son destin...*

À plat ventre, je rampe jusqu'à l'extrémité des tuiles. Puis je me penche prudemment par-dessus la gouttière. Et alors, je reçois en pleine figure un coup d'une violence ! L'extrémité de la perche vient de me frapper si fort que j'en suis retourné comme une crêpe. Sur le dos, abasourdi, je vois voler par-dessus moi l'individu qui atterrit avec un saut périlleux. Sous sa capuche, je ne distingue que de l'ombre. Mais je suis certain qu'il a un large sourire. Le voici qui termine sa chanson :

– *Chat curieux n'devient pas vieux !*

Comme j'essaie de me redresser, il me fauche à nouveau et son arme m'envoie voler dix pas plus loin, dans le vide. À moitié assommé, je me rattrape *in extremis* à la poulie d'une potence au-dessus d'une fenêtre. Sans elle, j'allais m'écraser au milieu des poivrots sortant de l'auberge. Un rire et une voix s'éloignent dans la nuit en me lançant :

– Bienvenue à Coronora, Chat Noir !

*

L'incident a mis fin à mes envies de promenade nocturne. J'ai changé de tenue dans une ruelle, puis j'ai pris une chambre à l'auberge. À l'aube, j'ai fait un tour aux bains publics, où l'on m'a aussi coupé les cheveux. Me voici plus frais ! Pour parachever ma remise en état, j'ai acheté des habits neufs, discrets mais à la dernière mode, ainsi que des bottines en cuir de veau souples et solides, parfaites pour Chat Noir.

La place de Grève, rive droite, grouille de populace. Les ouvriers sans emploi y traînent, attendant que des contremaîtres les embauchent pour une journée de travail. De hauts gibets, où perchent des corbeaux, laissent deviner que ce marché au travail se change parfois en théâtre des exécutions publiques.

– Bonjour, messire, vous n'avez pas l'air d'un ouvrier. Cherchez-vous quelqu'un ?

– Hein ? Bonjour, damoiselle.

Surpris, je rougis comme un idiot et exécute une révérence ridicule qui fait pouffer mon interlocutrice. C'est une des plus jolies filles que j'aie jamais rencontrées. Son visage épanoui est illuminé par deux grands yeux aux iris noisette. Ils semblent indulgents et moqueurs tout à la fois, comme son sourire éclatant que fait ressortir sa peau ambrée. Ses longs cheveux noirs et lisses sont en liberté, juste décorés par quelques tresses étroites emprisonnant des perles. Je reprends mon sang-froid.

– Je viens de loin, pour retrouver un ami. Je dois l'attendre ici tous les matins. Mais il n'est pas dans la foule…

– Comment s'appelle votre ami?

– Cagouille. Vous le connaissez?

– Tout le monde connaît Cagouille! Suivez-moi, je vous conduis à lui.

Deuxième fois qu'on me dit ça! Mais qu'a donc fait Cagouille pour devenir si populaire?

J'emboîte le pas à ma guide. Nous traversons un pont sur lequel des maisons sont construites, comme dans une rue ordinaire. Puis nous mettons le pied sur l'île centrale, protégée telle une forteresse. Les gardes saluent la jeune fille qu'ils semblent connaître. Elle répond en faisant un pas de danse, virevolte, sautille un peu et se tourne vers moi en riant. Cette adorable personne déborde de vie et de joie. Pris à son charme, je m'efforce de rester méfiant.

– Je me nomme Sasha Kazhdu. Qui ai-je l'honneur de suivre?

– Sibylle Boisjoly! Mon père est le fauconnier de la Reine.

La fille du fauconnier royal? Le premier maître

de chasse de tout le royaume ? Je suis impressionné.

– Et… nous allons bien rejoindre Cagouille, n'est-ce pas ? Où se trouve-t-il ?

– Dans mon hôpital, nous y sommes presque.

Je m'arrête, inquiet.

– Cagouille est blessé ? Malade ?

– Du tout ! Mon hôpital est pour les animaux. J'y soigne toutes les bêtes qui ont besoin de secours.

– Ça n'exclut pas Cagouille…

Sibylle fait claquer sa langue avec reproche. Puis, reprenant sa marche, elle m'explique que son hôpital est un cadeau de la Reine.

– Quand j'étais petite, je détestais voir souffrir les animaux capturés par les faucons de mon père. Chaque fois que je le pouvais, je dérobais aux chasseurs les pièces de gibier ramenées par les rapaces, avant qu'elles soient achevées.

C'est vrai que la chasse au faucon est un art cruel. Le fauconnier lance son oiseau dressé vers une proie qu'il ramène terrifiée, blessée, pour être achevée d'un coup de dague ou en se faisant tordre le cou.

– J'avais à l'époque une espèce de cachette où je soignais tourterelles, lapins et autres faisans pris aux chasseurs.

– C'est votre père qui devait être content…

Elle rit, et moi aussi. Comme on est facilement joyeux, avec cette charmante Sibylle !

– La Reine était attendrie par ma compassion, mais agacée par les chasses que j'ai gâchées. Elle a conclu un marché avec moi. J'ai promis de ne plus accompagner mon père aux chasses royales. En échange, elle m'a fait don d'un local, près du château, en m'autorisant à y soigner tous les animaux que je voudrais. À condition que ce ne soit pas son gibier ! C'est que, de pauvres bêtes en détresse, ça n'est pas ce qui manque dans les rue de Coronora.

– Vous êtes un ange !

J'ai dit ça dans un élan, c'est sorti du fond du cœur. Je m'en sens aussitôt un peu gêné.

Nous atteignons bientôt une maison ouverte sur une cour pleine de végétation. Des liserons grimpent sur la façade, comme de minuscules trompettes blanches, ornant les figures animales sculptées dans les poutres du colombage.

– Nous y voici, messire Sasha ! Suivez-moi.

À l'intérieur se trouvent de nombreux tonneaux, ouverts, emplis de foin, et occupés par toutes sortes de bêtes malades. Des paniers d'osier garnis de crin servent de lit aux oiseaux blessés, suspendus hors de portée des félins. Un vieil âne tremblant sur ses pattes nous regarde entrer et secoue les oreilles. La propreté et le calme qui règnent dans cette ménagerie me surprennent. Les espèces ennemies y sont en trêve, sous l'affectueuse influence de leur soignante.

– C'est la partie réservée aux animaux domestiques. Les bêtes plus sauvages, je dois les enfermer le temps de les soigner. Elles sont en bas, venez.

Nous descendons un large escalier vers une cave encore plus vaste que le rez-de-chaussée. Sous les voûtes, la lumière des lampes à huile fait danser l'ombre des piliers. Sibylle sautille jusqu'à une silhouette affairée devant une petite cage.

– Me voilà ! Tu as nourri tout le monde ?

– Purin ! Ça m'fait mal de *gâchier* ce bon jambon pour une belette. En plus, cette *zingrate* préfère me *morguigner* les doigts.

– Elle mord parce que tu lui manges sa pitance, mon Cagouchou.

– Je goûte, c'est tout.

Sibylle referme la cage de la belette dont une patte est bandée. Puis elle passe ses bras autour du cou de Cagouille et l'embrasse.

Debout dans l'entrée de la pièce, je suis sidéré au point que l'on pourrait m'assommer avec une plume.

– Toujours pas d'Sasha au rendez-vous ? Bah, y viendra jamais. Cette *chofiotte* quittera pas les jupes à sa sœur. Quel mollasse ! Ch'uis déçu.

Je m'avance sur la pointe des pieds, avec l'idée de

lui botter les fesses en guise de retrouvailles. Mais, passant près d'une alcôve, je surprends un renard qui se met à japper en tirant sur sa longe. Cagouille découvre ma présence et pousse des cris de joie qui couvrent ceux de l'animal. Il accourt, bras tendus, me prend par les épaules et me fait tourner comme une toupie. Je le trouve un peu amaigri. De plus, il est habillé correctement, presque élégant. Ses cheveux roux touffus sont toujours en bataille mais... Incroyable ! Comme le reste de sa personne, ils sont à peu près propres ! Je m'exclame :

— Mais, tu ne sens pas mauvais ! Tu... Tu te laves, maintenant ?

— Faut bien. Un bain tous les dimanches. C't un édit royal.

— Une loi ? Qui oblige les gens à se laver ?

— Nan, pas tous les gens. Juste *moille*. J'te raconterai.

Il m'entraîne vers notre jolie hôtesse, occupée à inspecter ses malades de tous poils et plumes.

— J'te présente sainte Sibylle, la *sauveteuse* des animaux. Sibylle, j'te présente Sashouille, mon meilleur z'ami dont que j't'ai parlé.

Elle me fait une gracieuse révérence.

— Ravie de vous rencontrer, cher grand z'ami.

— Lui dis pas *vouille* ! Tu peux *l'titoyer*, c'est qu'un manant ordinaire comme vous et *moille*.

Sibylle proteste :

– Comment ? On n'est pas ordinaire quand on court les toits comme un chat, et que l'on fait trembler toute une ville !

J'en reste bouche bée. Cagouille lui a dit que je suis Chat Noir ! La colère s'empare de moi.

– Cagouille ! Tu as perdu la tête ? Comment as-tu pu révéler mon secret ? Je me sens trahi !

– Oh, eh, oh ! *Montre pas tes grands cheveux !* Ma Sibylle, on peut lui faire entièrement confiance.

– Tu as tort, Cagouille. Dans ma position, il faut se méfier de tous. Et, crois-en mon expérience, surtout des femmes !

Mon copain se fâche. Il plante ses poings sur ses hanches et se dresse, profitant qu'il soit plus grand que moi pour me toiser.

– De *quoille* ? Mon vieux, sache que toutes les filles sont pas des Phélina ! Ta baronnette de Belorgueil c'est le fond *pourrite* du panier. Ma Sibylle, c'est la crème ! J'y fais plus confiance qu'à moi-même.

Phélina n'est plus baronnette, ai-je envie de préciser. C'est une princesse, maintenant. Mais aussi la reine des sournoises, l'impératrice des traîtresses ! Sibylle, dont le cœur est certainement plus pur, s'interpose entre nous :

– Cagouchou, tu remues le couteau dans la plaie.

C'est méchant de rappeler à Sasha des souvenirs douloureux. Cette ambitieuse l'a manipulé si cruellement ! J'ai les larmes aux yeux rien que d'y penser.

Ma colère retombe, je suis sidéré.

— Mais, morbleu, tu as raconté toute ma vie à Sibylle !

— Presque ! dit la jeune fille en riant. Allons, ne vous disputez pas, vous avez raison tous les deux. Sasha a raison de vouloir garder ses secrets. Et Cagouille a raison de me faire confiance. Sujet clos ! Allons déjeuner, voulez-vous ?

Cagouille se tape sur le ventre, ce qui produit un son de tambour.

— *Voilàille* la voix d'la sagesse ! Ma Sibylle a toujours la tête sur les épaules.

— Et toi, l'estomac dans les talons.

Dans la cour, sur une table de chêne, Sibylle et Cagouille disposent un assortiment de victuailles qui me met de bonne humeur. Un museau vient me pousser par-derrière. Je reconnais la chèvre de M. Crapoussin ! Mon copain lui donne un quignon de pain, puis siffle entre ses doigts. Aussitôt, sortis de je ne sais où, toute une tribu de Rats-des-brumes nous rejoint.

— *Disez* bonjour à Sasha, les amis.

— Ce sont les rats du cirque ?

– *Zactement.* Comme la biquette, ils sont en pension chez Sibylle. À cause des Ratakass, les rats sont pas populaires en ce moment. J'préfère donner le spectac' sans eux.

– Tu veux dire que tu fais un spectacle, sans M. Crapoussin ?

– Ouais, mon Sashouille ! Tu verras ça demain. Le nabot m'a appris toutes sortes de tours.

– Il t'a aussi appris à écrire. Bravo pour ta lettre ! Elle a même fait rigoler Bathilde, un exploit. Dis, tu y parles de quelqu'un qui veut me rencontrer. C'est de Sibylle qu'il s'agit ?

– Pas du tout. C'est quelqu'un que je peux pas te dire qui. Une personne qu'a besoin de Chat Noir.

– *Chhhut…*

– T'as amené tes moufles, j'*aspère* ?

– Oui. Tu ne sais donc pas qui veut me rencontrer ?

– Si, mais j'ai pas le droit de l'dire. Tu sauras ce soir.

Cagouille balaye le sujet d'un geste de la main et demande des nouvelles de ses parents. Je lui parle du pays, puis j'enchaîne par le récit de mon voyage. Finalement, je lui décris ma rencontre nocturne, dont je garde une bosse sur la tête qu'il tâte en sifflant d'admiration. J'ajoute que si mon bâillon-autorité n'avait encaissé le second coup de bâton, faisant voler en morceaux son mécanisme délicat, j'aurais aussi la mâchoire fracassée.

– *Ouaille*, il *s'agite* de l'espion fantôme. Mon vieux, t'es l'premier à l'avoir vu d'aussi près.

– Qu'est-ce que c'est que ce fantôme ?

– Pô l'droit de l'dire non plus.

– Mais tu m'agaces, avec tes mystères ! Tu me diras peut-être comment il se fait que tu étales tes fautes d'orthographe sur du parchemin royal ?

En guise de réponse, Cagouille rote et engloutit une chopine de lait. Sibylle ne mange pas. Elle prépare un plateau de nourriture, qu'elle décore de quelques fleurs avant de l'emporter vers la maison. Devant la porte, elle se retourne et appelle Cagouille.

– Cagouchou, prends un pichet d'eau fraîche et viens avec moi, tu veux ?

– Oh, non ! J'me *ragale* avec cette brioche aux *raisinsectes*, la dernière chose que j'ai envie, c'est d'voir une face de lépreux.

– Ne le crie pas sur les toits !

Intrigué, je prends une cruche d'eau du puits, puis j'accompagne Sibylle qui redescend au sous-sol. Elle me conduit dans un couloir, tout au fond, débouchant sur une cellule aménagée, faiblement éclairée.

– N'approchez pas, Sasha. C'est un lépreux. Je l'héberge en secret. Si les gardes le savaient, il serait mis à mort. Les malades comme lui sont interdits dans la ville. Ce pauvre diable est venu à Coronora pour prier à la cathédrale, aux heures où elle est déserte. Il espère une guérison miraculeuse. Comment pourrais-je refuser de le cacher ? Tant pis pour la loi.

Un mouvement de dégoût me fait reculer. Effaré, j'observe la scène à distance. Sibylle dépose son plateau devant la silhouette voûtée et tremblante qui murmure des remerciements. Les mains sont couvertes de bandages. Le visage disparaît sous des linges suintants. Puis, comme elle vient me prendre la cruche que je n'ai pas le courage d'apporter, je chuchote à la jeune fille :

– Cagouille a raison. Sibylle, vous êtes une sainte !

Elle hausse les épaules. Puis nous remontons dans la cour et je finis de manger. Cagouille se lève en s'essuyant les mains sur ses chausses.

– Allez, *viende*, je t'emmène dans mes appartements *où s'qu'*on va loger ensemble.

– Où ça ?

– Au château, mon Sashouille. Au château royal !

VI

L'épée et la couronne

Cagouille me conduit à travers l'île de la Cité.
Nous sommes tellement heureux de nous retrouver
que, pendant un moment, nous n'échangeons pas un
mot. Le plaisir de marcher côte à côte nous suffit.
De temps en temps, nos regards se croisent, et nous
rions sans raison en nous lançant des « ce vieux
Sasha… », « sacré Cagouille… ».
Les rues de Coronora sont fascinantes. Plus
grandes, plus animées, plus colorées que celles de
Deux-Brumes ! Elles sont aussi plus sales. Mais le
pavement se fait plus propre en approchant du château.

— Tu te d'mandes comment que Sibylle a pu *s'enzamourer* de *moille*, pas vrai ?

— Ben, tu as des qualités, mais j'avoue que…

— J'ai ma *théorite* ! C't à cause de son grand cœur.
Quand elle m'a vu, loin de chez moi, a'c mon œil
crevé, mès cheveux en pagaille, comme un chiot

abandonné sous la pluie, ça a *touchié* son cœur. Faut dire que j'étais en piteux état en arrivant à Coronora. Voyager avec le père Crapoussin, c'est pas *zactement* une cure de santé.

– Elle tombe amoureuse de tous les vagabonds, donc.

– Tu veux mon pied au *culte*? Je suis son premier z'amoureux! Et pourtant, ça manque pas d'damoiseaux emplumés qui lui courent après. Mais tu *voilles*, moi j'la fais rigoler. C't une fille intelligente, Sibylle. Elle préfère être heureuse avec un moche que d's'*emmerdier* avec un bellâtre.

– M. Crapoussin avait raison. « C'est ouné fillé oun peu spéciale... »

– Barf! Vous êtes tous jaloux.

Jaloux? Un peu, c'est vrai. Mais, surtout, très heureux pour Cagouille.

Nous poursuivons notre chemin. Pour la énième fois, des passants reconnaissent Cagouille et rigolent en le saluant.

– Si tu me racontais ce qui t'a rendu populaire? Et, surtout, si propre?

– D'accord. *Viende*, j'connais une auberge, on sera bien pour discutailler.

Cagouille m'entraîne dans un endroit animé où l'on cuisine autour d'une vaste cheminée. Je prends un bol de cidre tandis qu'on lui sert une louche de pois au lard. D'un coup de cuillère, il pousse dans l'écuelle, creusée à même la table, une mouche imprudemment posée sur le bord.

– Toujours aussi gourmet. Beurk! En plus, on vient de manger.

– Ça donne du goût, t'y connais rien. Mais dis pas ça à Sibylle!

– Que tu as des goûts répugnants?

– Nan, que j'ai tué une mouche qui m'avait rien fait. Je me ferais houspiller pendant une heure. *Brèfle*, rev'nons à nos boutons. J'te raconte.

Cagouille commence son histoire tout en dévorant sa bouillie verdâtre. Je me décale un peu pour esquiver les projections.

– Quand on est z'arrivés à Coronora a'c Crapoussin, l'objectif c'était d'avertir la Reine que l'Archiduc veut lui faucher sa couronne. Et pis que le prince Viktar et ses *Ratachiass* sont d'la partie. Mais tu parles! Pour deux *saltimbranques*, impossible d'approcher la Reine pour faire un brin d'causette.

– Évidemment. Toi, rencontrer la Reine? Comment as-tu pu imaginer que ce soit possible?

– Impossible? Eh ben, tu t'fourres l'doigt dans l'œil jusqu'au gosier! Je t'*esplique* : à la fin d'l'automne, le cirque Crapoussin a donné le spectac' sur toutes les places à Coronora. On *rapportait* un succès fou! Y avait chaque fois plus de monde aux représentations. Des vraies vedettes, qu'on était dev'nus! Juré, mon Sashouille.

Je fais une moue incrédule. Mais la servante de l'auberge, une grande bonne femme avec des tresses enroulées de chaque côté du crâne, me regarde en hochant la tête pour confirmer ce que dit Cagouille. Avec étonnement, je me rends compte que les clients, comme cette femme, ont interrompu leurs activités pour écouter le récit de mon copain. Leurs faces bigarrées affichent des sourires amusés.

– Honnêtement, j'*croille* pas que c'est le spectac' de Crapoussin qu'on *viendait* voir. C'est plutôt *moille* qui les faisais marrer comme des *bas d'laine*. Va-t'en savoir *pourquoite*!

L'auberge se remplit d'éclats de rire et Cagouille lève son œil au ciel. La clientèle trinque à la santé du comique et les conversations reprennent.

– Tu *voilles*? Ça doit être mon accent d'Deux-Brumes.

– Ne fais pas le modeste. Moi aussi j'ai l'accent de chez nous. Et ça n'amuse personne. Continue ton histoire.

– *Alorss*, finalement on fut été z'invités à jouer le spectac' au château. Devant la cour et la Reine en personne! Mon vieux, un triomphe! Si tant qu'ensuite on a reçu la permission de revenir les faire *rigouler* toutes les semaines. Voilà, mon Sashouille.

– M. Crapoussin a-t-il pu prévenir la Reine du complot de l'Archiduc ?

– Cet hiver, le nabot a eu audience a'c le Chancelier. Mais comme l'Archiduc est un cousin d'la Reine, son *accusage* sans preuve a presque envoyé Crapoussin au cachot.

– Flûte !

– *Ouaille*, mais, au printemps, quand les Ratakass et l'armée du cousin sont passés à l'attaque, la chansonnette a changé ! À la cour, y z'ont vite fait venir le père Crapoussin qui leur a tout *espliqué* de l'Archiduc et de Viktar. La Reine a *trou d'suite* compris que les Ratakass sont plus forts que son armée. C'est *pourquoille* elle a envoyé des *embrassadeurs* demander l'aide des frères du prince Viktar. Cause qu'ils lui ont déjà botté les fesses une fois, dans leur pays.

– Et M. Crapoussin servira d'interprète à Rivas'Tarak. Ça, je le savais.

Soudain, une grande clameur se fait entendre dans l'auberge, ponctuée d'éclats de rire. Deux énergumènes viennent d'entrer, chargés d'une énorme bassine qui éclabousse tout autour quand ils la posent sur une table. C'est l'hilarité générale. L'un d'eux, bien enivré, braille en gesticulant :

– Purin de *merdre*, messire Cagouille ! Ton triomphe à la cour, tu ne le racontes pas à ton copain ?

Cagouille se fâche :

– Oh, eh, oh ! De quoi que j'me *merle* ? C'est des détails que ça l'intéresse pas.

– Tu parles d'un détail. Toute la ville en rigole encore !

L'individu se bouche le nez, tire la langue en faisant un son de trompette. Cagouille se lève et le rejoint, proférant à son égard des noms colorés qu'il a dû apprendre durant son voyage. L'ivrogne tente de faire tomber mon copain dans la bassine, mais Cagouille, toujours plus vif qu'on l'imagine, esquive le geste habilement. Dans son élan, celui qui voulait le mettre dans l'eau perd l'équilibre et plonge lui-même la tête la première. Tout le monde rigole, sauf la servante qui arrive avec sa serpillière. Je l'intercepte :

– Je ne comprends rien à cette histoire de bassine.

Elle jette la serpillière au poivrot. Il s'essuie la tête, dessoûlé, et commence à éponger le sol en râlant.

– Votre copain Cagouille, quand il a fait son spectacle à la cour avec le nain Crapoussin, il sentait tellement mauvais que tous les nobles tordaient le nez. D'après ce qu'on raconte, les gardes allaient le jeter dehors tellement il était puant. Mais la Reine, qui est bonne et ne manque pas d'humour, a demandé qu'on amène une grande baignoire. Et voilà-t-y pas que, devant tout le monde, les nobles, le Chancelier, le Connétable et Sa Majesté, on a donné à Cagouille le premier bain de toute sa vie! Paraît que l'on n'avait jamais tant ri au château.

Cagouille nous rejoint et précise :

– Menterie! Pas le premier bain, j'en avais déjà pris quelques-uns à Deux-Brumes. Par accident... Pour le savon, là, d'accord, y avait nouveauté.

– La Reine a ensuite fait passer un décret obligeant Cagouille à se laver tous les dimanches. Et nous autres, la population, on est chargés de rapporter aux autorités s'il sentait à nouveau mauvais.

– Purin de *merdre*, quelle justice! J'ose plus péter de peur qu'on m'*envoye* aux oubliettes!

– Messire Cagouille, de quoi vous plaignez-vous? Contre ce petit effort, les portes de la cour vous sont ouvertes.

J'en reste bouche bée! Cagouille, à la cour?

– Cagouille, c'est vrai? Tu es admis devant la Reine?

– Ben *ouaille*, pass'que je les fais *rigouler*, on me laisse entrer. Enfin, des fois. Et pis, j't'ai dit que j'avais mes appartements au château, t'as oublié? Allez, *viende*, on y va.

Le château est au cœur de l'île, exactement au centre de Coronora. J'y entre sans difficulté, parce que les gardes me voient en compagnie de Cagouille. Mon copain évolue comme chez lui autour du palais planté de mille tourelles, aux grands murs garnis de vitraux et de sculptures, avec son donjon majestueux flanqué de bâtiments élevés. L'espace extérieur grouille de vie. Toutes sortes d'uniformes et de livrées[1] multicolores donnent un air de fête à l'animation qui nous entoure.

Nous approchons des écuries. Elles sont divisées en deux parties. L'une pour les chevaux de guerre, l'autre pour les montures ordinaires. La roulotte du cirque Crapoussin est installée à l'extrémité du bâtiment, près des meules de foin. Cagouille m'y fait entrer et m'indique une paillasse au milieu d'accessoires de spectacle.

– Voilà ton lit, monseigneur !

– C'est ça, tes appartements au château ?

– Tu voulais *quoille*, un lit d'camp dans la chambre de la Reine ? Installe-toi. J'vais allumer le poêle.

– Mais il fait chaud comme tout !

– T'occupe. C'est pour l'signal.

Il enflamme une bûche sur laquelle il vide un

---

1. Uniforme des domestiques et employés.

sachet d'étrange poudre scintillante. L'odeur est infecte, nous sortons précipitamment.

– Tu cherches à nous asphyxier ?

– C'est qu'un *dessacrement* provisoire. Regarde comme c'est beau.

La fumée sortant du tuyau de poêle est panachée de mauve, de vert, de jaune et de bleu. Elle monte en crépitant, répandant autour d'elle des étincelles brillantes comme de petits diamants.

– C't une poudre *pétendurment* magique à Crapoussin. Ça lui sert dans ses tours. Mais là…

Cagouille baisse la voix et s'approche de mon oreille pour chuchoter :

– … là, c'est un signal qui veut dire que Chat Noir est arrivé à Coronora.

– Pour qui, ce signal ?

– Pas l'droit d'le dire. Tu verras bien. Maintenant, s'agit de trouver la réponse. *Ézamine* bien les fenêtres du château.

Le mini-feu d'artifice ne passe pas inaperçu. Les gens s'extasient, les gardes s'inquiètent, mais très vite la fumée devient grise et tout rentre dans l'ordre. La réponse que nous cherchons ne tarde pas à apparaître. Vers le sommet du donjon, l'une des plus hautes fenêtres s'ouvre et des mains inconnues y suspendent une tapisserie. Elle représente un chat.

– C'est *làille* !

– Eh bien, quoi ?

– Ton rendez-vous sera à cette fenêtre. À la tombée d'la nuit.

*

J'ai passé l'après-midi dans la roulotte, à tenter de réparer mon bâillon-autorité. L'assemblage des disques métalliques et des ressorts qu'il contient est d'une complexité extrême. Après avoir détordu les pièces tant bien que mal, j'ai remonté le tout. Je peux enfin le fixer sur ma bouche pour tester le résultat.

– CAGOUILLE ! J'AI RÉPARÉ LE BÂILLON.

Mon copain est plié de rire. Le résultat n'a rien à voir avec ce que ma sœur avait conçu.

– C'est p'us un bâillon-autorité, c'est un bâillon-voix-d'canard !

– PEU IMPORTE. L'ESSENTIEL, C'EST QU'ON NE ME RECONNAISSE PAS.

– *Ouaille*, ben ouvre pas trop ton bec. T'es censé faire peur, pas faire rire.

Revêtu de ma tenue de Chat Noir, je quitte la roulotte sans me faire voir. Le sommet du donjon se perd dans le ciel nocturne. Une lanterne a été posée sur le rebord de la fenêtre où l'on m'attend. Sans mal, je me dissimule dans les ombres du château, puis grimpe sur un toit d'où je rejoins une tourelle un peu plus haut, pour m'élancer contre le mur que je dois escalader.

L'ascension est aisée. Mes griffes se plantent sans peine et les escales, gargouilles, gouttières, rebords et corniches, sont nombreuses. À chaque étage que je franchis, des fenêtres laissent entrevoir la vie du soir dans la demeure royale. Mais je ne m'attarde pas. Un sentiment de pudeur m'interdit d'espionner, sans raison, l'univers intime de la Reine.

Enfin, j'atteins la fenêtre où pend la tenture brodée d'un chat. Vues de cette hauteur, les rues et les maisons de Coronora se découpent en pointillés de lumière, dessinés par la lueur des fenêtres et des torches. La rumeur de la ville qui s'assoupit me parvient, dominée par le bruit d'un chariot sur le pavé. Il s'y mêle une douce musique provenant de l'intérieur du château. J'imagine, à cette heure, des nobles attablés sous les chandeliers, soupant au son du chant des ménestrels.

– Entrez, Chat Noir. Pas de geste imprudent, ou vous ne sortirez pas vivant d'ici.

– ACCUEIL FORT PEU COURTOIS ! QUI ÊTES-VOUS ?

La pièce où j'atterris est dans l'obscurité. Seul un cierge trace un rond de lumière qui n'éclaire que ma silhouette. Soudain, un homme m'y rejoint et se campe devant moi. Je fais surgir mes griffes, prêt à bondir, prêt à me battre.

Sa taille est haute, sa carrure large. Son beau visage plein de noblesse est encadré de boucles blondes. Il me rappelle les anges gardiens tels qu'on les sculpte dans les églises. Son pourpoint blanc, brodé de fleurs vermillon, recouvre une cuirasse qui le protège jusqu'aux hanches. La pointe de son long bouclier est posée sur le plancher, devant ses chausses rouges. Il brandit une épée rutilante entre nous deux.

Ça n'est pas cet homme qui a parlé. Car la voix légèrement chevrotante qui se fait entendre à nouveau provient de derrière lui.

– Chat Noir, vous faites face au Connétable, maréchal des armées de la Reine. Chef de guerre du royaume. C'est beaucoup d'honneur pour une vermine ! Rangez vos griffes, ou vous aurez l'honneur encore plus grand qu'il vous pourfende.

Je rétracte mes griffes, calculant mes chances de pouvoir sauter par la fenêtre avant d'être coupé en deux. Puis je me dis qu'on n'a pas dû m'appeler ici juste pour me tuer.

Mon interlocuteur entre à son tour dans la lumière. C'est un homme d'âge mûr. Il porte une houppelande pourpre, au col fourré et aux manches immenses, ainsi qu'un couvre-chef assorti qui rappelle un turban. Sa bague et son médaillon révèlent que j'ai affaire à un haut dignitaire. Il s'appuie sur un bâton ouvragé et me toise, puis dit au Connétable :

– Il ne m'a pas l'air bien dangereux.

– Dernières paroles que l'on pourrait graver sur nombre de pierres tombales.

Puis il s'adresse à nouveau à moi, sur le ton vexant de quelqu'un qui vous croit plus bête que lui.

– Je suis le Chancelier royal. La plus haute autorité du royaume après la Reine. Je serai bref, écoutez bien. Nous avons besoin de vous. Un espion au service de nos ennemis sévit à Coronora. Un individu capable d'échapper à tous nos gardes, à toutes nos protections. On l'a surnommé le fantôme ! Il vole de toit en toit, armé d'une grande perche.

– JE SAIS DE QUI VOUS PARLEZ. SON BÂTON ET MA MÂCHOIRE ONT DÉJÀ FAIT CONNAISSANCE.

– Vous ne pouvez ignorer que le cousin de la Reine s'est lancé à la conquête du royaume. Son but ultime est de prendre Coronora. L'espion fantôme travaille pour ce félon ! Il dérobe à notre nez, à notre barbe, de précieux documents décrivant nos forces et nos défenses. Grâce à cet individu, l'Archiduc de Motte-Brouillasse connaîtra tous les points faibles de Coronora. Il faut arrêter cet espion !

– CAPTURER VOTRE FANTÔME ? C'EST CE QUE VOUS ATTENDEZ DE MOI ?

– Exactement ! Neutralisez l'espion fantôme. Mort ou vif. La récompense sera énorme. Cinq cents ducats d'or pour vous, Chat Noir ! Vous acceptez ?

– JE NE SUIS PAS UN ASSASSIN. ET VOTRE OR NE M'INTÉRESSE PAS.

Le chancelier en reste bouche bée. Il n'avait pas prévu de se voir refuser une somme pareille. Je le regarde tricoter des sourcils tandis qu'il cherche quelle autre proposition me faire. Finalement, il abandonne en soupirant.

– Eh bien, bandit, faites votre offre. Que souhaitez-vous contre la capture du fantôme ?

– CE QUE JE SOUHAITE ? DÉFENDRE LE TRÔNE DE NOTRE REINE BIEN-AIMÉE. RENDRE LA PAIX AU ROYAUME. QUE NOS ENNEMIS SE BRISENT CONTRE LES MURS DE CORONORA ! ET VOIR NOTRE SOUVERAINE ÉCRASER LES SERPENTS QUI MENACENT SON RÈGNE !

– Vive la Reine !

– Vive la Reine !

Le Chancelier et le Connétable se sont exclamés comme par réflexe. Puis ils se regardent, médusés. Les voici bien surpris par mes paroles d'allégeance. C'est qu'ils me prenaient pour un malandrin ! Ils ignorent que, depuis longtemps, Chat Noir lutte dans l'ombre contre l'Archiduc et le prince Viktar.

Au fond de la pièce, où l'obscurité est totale, un rire cristallin se fait entendre. Une voix de femme s'élève, mélodieuse et ferme :

– Connétable, allumez les chandeliers. Chancelier, faites approcher ce damoiseau.

– Majesté ! C'est d'une imprudence !

– Allons.

La lumière se répand dans la pièce. C'est un grand cabinet de travail, aux murs recouverts de tentures et d'étagères chargées de livres. Les meubles luxueux, de bois sombre travaillé, sont décorés à la feuille d'or. Un lourd tapis conduit jusqu'à une petite estrade. Elle porte un trône sans fioritures, où siège une femme vêtue de blanc et d'or. Sa grande taille est accentuée par son long cou et la haute coiffure qui prolonge sa tête au port royal. Au sommet de cette impressionnante femme scintille une couronne aux pointes en forme de cœur.

Je mets un genou à terre, tremblant d'émotion. Ma nervosité fait surgir les griffes de mes doigts et le connétable dégaine son épée. La Reine lui fait signe de rester calme.

– Eh bien, voici peut-être le plus étrange de mes sujets. Ma filleule avait raison, on doit pouvoir vous faire confiance.

– VOTRE MAJESTÉ, QUI EST CETTE FIL-
LEULE ?

– Sibylle Boisjoly, la fille de mon fauconnier. Vous
avez, je pense, tous deux un ami en commun.

La Reine se lève, me fixant du regard, un peu
amusée. Puis, d'un geste de la main, elle me congé-
die d'un simple « Allez ! ». Je me redresse et saute
par la fenêtre, me jetant vers une toiture éloignée
dans un plongeon acrobatique. En disparaissant
dans la nuit, j'ai l'impression d'être un chien de
chasse qu'on lance sur la piste d'une proie trop forte
pour lui.

VII

Renarde et Gaspard

Cagouille écarte le rideau et entre dans la roulotte. Je retire mes mains de derrière mon dos, équipées des gants-griffes, que j'avais cachées en l'entendant gravir le marchepied.

– T'en fais une bouille ! T'as les yeux ébouriffés comme que si t'as vu un rev'nant.

– La Reine m'a parlé ! Je n'en reviens toujours pas.

– C'est qu'*çaille* ? Mon Sashouille, t'es trop *empressionnable*.

– Oh, je sais ! Messire Cagouille est rompu aux rencontres royales. J'ai appris que la Reine est la marraine de ton amoureuse !

– C'est rien. La Reine est marraine de presque tous les marmots d'la cour.

– Tout de même... C'est donc à Sibylle que je dois d'être ici ?

– Oui, mon vieux. Laisse-moi *t'aspliquer*. Désolé

que j'avais juré de rien dire jusqu'à qu'la Reine t'ait causé. Même pas au père Crapoussin.

Cagouille enlève ses chaussures et se met à l'aise. Jadis, les mouches auraient zigzagué autour de lui. À présent, l'air reste à peu près respirable.

– Quand l'espion fantôme a commencé ses *entourlourpes*, à la cour y en a qui z'ont pensé que c'était Chat Noir qu'avait débarqué.

– Tu veux dire qu'on connaissait Chat Noir à Coronora ?

– Mon vieux, moi qu'ai voyagé, j'peux te dire qu'on *connaille* Chat Noir dans tout le royaume ! Y s'raconte mille z'histoires sur ta pomme, toutes plus *farfalues* les unes que les autres.

– Incroyable !

– *Brèfle*, Sibylle a dit à sa marraine que c'était pas possib', à cause que si Chat Noir était là elle en saurait que'qu'chose.

– Parce que tu lui avais tout raconté sur moi !

– Personne était capable d'attraper ce fantôme sur les toits. *Alorss*, le Chancelier a dit : « Puisque Chat Noir n'est pas le problème, il est peut-être la solution. » Sibylle a ajouté qu'elle connaissait quelqu'un qui pourrait lui écrire. La Reine lui a donné une belle feuille de parchemin, et pis on t'a écrit, et pis t'es venu…

– … et pis maintenant, je dois courir après un fou

furieux capable de me briser en morceaux. Merci, Cagouille.

Je remets en place mon bâillon-autorité et rabaisse ma capuche sur mes yeux. Puis j'éteins la lumière pour sortir discrètement de la roulotte. Cagouille, les chaussures à la main, me suit à l'extérieur. L'obscurité nous dissimule. La nuit vient de tomber, mais l'animation reste intense autour du château.

– J'vais à l'hôpital de Sibylle m'occuper des bêbêtes. Tu pourras m'y retrouver s'tu veux.

– L'HÔPITAL ? D'ACCORD. J'EN AURAI SÛREMENT BESOIN SI JE TROUVE CE FANTÔME.

Les toits de Coronora sont plus faciles à parcourir que ceux de Deux-Brumes. Ici, pas de brouillard, la nuit est sèche, rendant tuiles et ardoises moins glissantes que dans ma ville natale. Par contre, je suis en territoire inconnu. Lorsque je me propulse d'une cheminée vers une corniche, d'un balcon contre une tourelle, ou du faîte d'une toiture à l'autre en survolant la rue, je ne sais jamais sur quoi je vais tomber. Pierre pourrie, charpente vermoulue, tuiles déchaussées... Autant de surprises qui manquent à chaque instant de mettre fin à mes aventures.

Les chats que je surprends s'enfuient sur mon passage. Les corbeaux endormis font de même. Hélas, ces bêtes sont les seuls êtres que je rencontre. Après avoir inspecté chaque quartier de l'île centrale, aucune trace de l'espion fantôme. J'hésite à franchir le fleuve pour explorer le reste de la ville. La partie extérieure est si vaste ! Et qu'y aurait-il, dans cette étendue d'habitations et de commerces, qui puisse intéresser un espion à la solde de l'Archiduc ? Tout le pouvoir, tout le savoir de Coronora sont concentrés sur l'île de la Cité.

Un peu désespéré, je décide de retourner voir Cagouille pour discuter de la situation. Ses idées sont loufoques, mais elles sont parfois efficaces. Ou bien catastrophiques...

Le chemin de l'hôpital m'amène à passer sur un toit que je connais déjà. C'est celui où l'espion fantôme m'a collé une rouste dont je sens encore les bleus. Je m'y attarde, vaguement tenté de m'introduire moi-même dans ce lieu rempli d'archives. Par la grande verrière, je distingue une demi-douzaine de gardes postés dans la salle sous mes pieds. Ma curiosité s'évanouit.

Mais au moment de quitter les lieux, mon attention est attirée par un objet qu'un souffle de vent fait danser. C'est un morceau de tissu, accroché à un angle de la gouttière. Il m'a tout l'air d'avoir été arraché au vêtement du fameux espion. En le mettant à la lumière, je reconnais sa couleur verte caractéristique. C'est un beau velours dont les fibres possèdent une étrange élasticité. Je n'ai jamais vu pareille étoffe. En l'empochant, j'imagine la déception du Chancelier et de la Reine si c'est tout ce que je parviens à leur rapporter.

Peu après, je retrouve Cagouille attablé dehors, dans la cour de l'hôpital de Sibylle. À la lumière d'un chandelier, il s'efforce de déchiffrer la page d'un livre, la langue tirée et l'œil plissé comme quelqu'un qui enfile une aiguille. Il bondit de surprise lorsque, d'un saut périlleux, je me laisse tomber du toit de la maison pour atterrir devant lui. Les murs qui nous entourent cachent mon arrivée aux fenêtres de la rue.

– TU LIS LES PHILOSOPHES, CAGOUILLE ?

– Purin de *merdre*, t'es *marboule* ? Quelle trouille tu m'as faite !

– OÙ EST SIBYLLE ?

– Sais pas. Sûrement chez ses parents. Dommage, j'aurais voulu qu'elle te *voille* comme ça.

Je me penche sur le livre. En fait de philosophie, il s'agit de recettes de cuisine.

– *Alorss*, tu l'as trouvé, ton fantôme ?

– JUSTE UN FRAGMENT...

Je lui montre le morceau de tissu que j'ai ramassé.

– Un bout d'sa culotte ? C'est *touille* ?

– IMPOSSIBLE DE DÉNICHER L'INDIVIDU. CORONORA EST IMMENSE !

– J'comprends. Autant chercher une anguille dans une meule de foin.

Pensif, Cagouille corne sa page et fait claquer son livre. Soudain, son œil s'illumine. Il m'arrache l'étoffe des mains, puis s'exclame :

– Donne !

Ensuite, il enfonce deux doigts à la propreté douteuse dans sa bouche et siffle quelques notes. Aussitôt, sortis de toutes parts, une bande de Rats-des-brumes apparaît et se rassemble autour de nous. Ce sont les artistes du cirque de M. Crapoussin. Cagouille en désigne deux et renvoie le reste à leurs affaires.

– *Toille* et *toille* ! Les autres vous pouvez *déguerpisser*, c'est pas l'heure de la soupe.

Les deux élus grimpent sur la table. Il s'agit d'un mâle et d'une femelle. Le premier porte un anneau argenté à chaque oreille, et son amie un collier serti de perles colorées.

– J'te présente Gaspard et Renarde. Les deux plus fins museaux d'la troupe. Et aussi les plus chapardeurs. Si t'as d'la mangeaille dans les poches, j'te conseille de monter la garde.

– JE NE M'APPELLE PAS CAGOUILLE.

Il fait renifler le bout de vêtement aux deux mignons petits rats et leur dit :

– Cherchez, trouvez ! Allez, les ratounets.

Aussitôt, Renarde et Gaspard se dressent sur leurs pattes arrière et hument l'air, les moustaches frémissantes. Durant un moment, ils se déplacent dans la cour, cherchent des effluves dans le vent, revenant de temps en temps sentir à nouveau l'odeur de l'espion. Finalement, ils se regardent, échangent quelques *scouics!* et semblent abandonner la partie. Ils nous plantent dehors pour filer dans la maison. Cagouille s'énerve.

– Ah, les galapiats! J'te parie qu'ils ont flairé à manger.

Nous les suivons au rez-de-chaussée de l'hôpital, où la plupart des pensionnaires sont endormis. Cagouille a raison! Nos deux petits limiers s'excitent autour d'un plateau chargé des restes d'un repas. Cagouille les confisque aussitôt et s'en goinfre lui-même.

– J'te l'avais dit! Ces deux morfals, y pensent qu'à manger.

Renarde et Gaspard, indignés, escaladent Cagouille et grimpent sur sa tête pour lui piailler dans les oreilles.

– Pourtant, Sashouille, j't'assure qu'ils ont un flair *xeptionnel.*

– LA PISTE DU FANTÔME DOIT ÊTRE TROP ÉLOIGNÉE. NOUS SOMMES AU NIVEAU DU SOL, ET CET ESPION CIRCULE SUR LES TOITS.

– Probable! Tiens, reprends ton bout d'chiffon et emmène ces deux *ouiskikis* avec *toille*.

Cagouille saisit les rats par la peau du cou et me les colle sur les épaules. Ils se faufilent dans ma capuche et s'installent contre mon cou. Nous retournons dans la cour et je fais surgir mes griffes. En trois bonds, j'atteins le sommet du mur, prêt à rejoindre les toits. Cagouille m'interpelle :

– Bonne chasse! Et te fais pas rosser, cette fois!

Voilà bien ce qui me tarabuste. Retrouver le fantôme est une chose. Ne pas prendre une raclée en est une autre! Je tiens à ma peau. C'est pourquoi mon plan se limite à découvrir son repaire, sans me faire repérer. Si j'y parviens, les soldats de la Reine se chargeront bien de le capturer. À chacun son métier!

La nuit s'étale sur la ville endormie. Des nuages vagabondent dans le ciel étoilé, masquant de temps à autre la face lunaire. Alors, durant quelques instants, on ne distingue plus que les bougies dans les niches des statues au coin des rues, et les torches des patrouilles qui arpentent la ville.

À peine lâchés, Renarde et Gaspard flairent une piste. Pas facile de courir derrière eux! Ils ne sautent pas d'un toit à l'autre, comme moi, mais redescendent souvent au sol pour grimper ensuite sur la maison d'à côté. Il leur arrive aussi, et c'est impressionnant, de franchir les rues en équilibre sur des fils tendus chargés de fanions. De vrais petits acrobates.

Leur trajet dessine une spirale dans les quartiers de l'île, qui finalement se resserre sur une modeste caserne près de la cathédrale. Je suis mes petits limiers sur son rempart, un carré planté d'une tour crénelée à chaque coin. J'y fais quelques pas et trébuche sur quelque chose en travers du chemin de ronde. Il y a quelqu'un par terre, une silhouette allongée dans l'obscurité.

– QUI EST LÀ ? SORTEZ DE L'OMBRE !

– Mmh ! Mmh-mmh ! Mmmmmh !!

Il s'agit d'un garde, ligoté et bâillonné. Je ne le libère pas mais, d'un coup de griffe, je tranche son bâillon.

– Vous… Vous êtes Chat Noir ? L'assassin de Deux-Brumes ?

– NON. JE SUIS CHAT NOIR, LE VOLEUR DE DEUX-BRUMES.

– Quelle soirée ! D'abord, le fantôme ! Maintenant, vous ! C'est un cauchemar ?

– CHUT ! À VOIX BASSE. C'EST LE FANTÔME QUI VOUS A LIGOTÉ ? IL Y A LONGTEMPS ?

– C'est lui, oui. M'a désarmé et assommé. J'ai perdu connaissance, je sais pas combien de temps.

– QUEL EST CET ENDROIT ? QU'EST-CE QU'UN ESPION PEUT Y TROUVER ?

– C'est le quartier général. On y organise les rondes des remparts et le circuit des patrouilles. Les horaires, les relèves, tout ça, quoi.

– CES INFORMATIONS SONT ÉCRITES SUR DU PARCHEMIN ?

– Oui, mais c'est bien gardé, rien à craindre.

– BIEN SÛR ! RIEN QU'À VOUS VOIR ON SE SENT RASSURÉ...

Malgré ses protestations, je bâillonne à nouveau le pauvre homme et le laisse à son sort. Renarde et Gaspard, qui devaient se demander ce que je faisais, reviennent vers moi tout affolés. Prudemment, je les suis à l'intérieur d'une des tours. Sur notre passage, nous rencontrons plusieurs gardes. Ils sont tous inconscients et étendus sur le sol.

Deux étages en dessous se trouve une salle circulaire. Derrière une solide grille à verrou, entrouverte, un casier sert à classer des rouleaux de documents. On y a mis un grand désordre. La serrure n'a pas été forcée. Sa clef et son trousseau s'y trouvent encore, probablement pris à la ceinture d'un garde inconscient. Trop tard. L'espion fantôme est reparti avec son butin.

Renarde et Gaspard sont surexcités. Ils dansent autour de moi une espèce de gigue qui me donne le tournis. Leurs couinements affolés me cassent les oreilles. Finalement, ils me grimpent dessus et se perchent sur ma tête, où ils se mettent à trépigner. Je lève les yeux... Un madrier, suspendu par des chaînes au plafond, porte deux rangées de bougies qui éclairent la pièce. Perché dessus comme un oiseau, le fantôme pousse une espèce de cri de guerre et fouette l'air de son bâton. Puis il se jette sur moi, pieds en avant, m'envoyant valdinguer avec mes deux compagnons.

Le temps de me remettre debout, il a filé par où je suis entré. Je saisis les deux petits rats et les glisse sous ma veste. Puis je me lance avec fureur à la poursuite de mon assaillant.

Le fantôme se découpe sous la lune. Je vois sa silhouette souple, un peu elfique, passer d'un toit à l'autre en se balançant au bout de sa perche. Il se déplace à une vitesse impressionnante. Mais la colère me donne des ailes, et je me sens capable de le rattraper.

Le fantôme paraît décidé à quitter l'île centrale. Peut-être croit-il m'avoir semé, car il a ralenti sa course. C'est que j'ai la prudence de rester caché, de le suivre sans quitter les ombres.

Je finis par le rejoindre sur l'un des ponts qui enjambent le fleuve. Les maisons qui le longent me permettent de me déplacer comme j'en ai l'habitude, sur les toits. Je marche au long d'une gouttière, accroupi, là où l'inclinaison de la charpente fait de l'ombre. En bas, loin en dessous, une eau noire comme la mort coule en silence pour se perdre dans le néant.

– Tu en as mis du temps pour me rejoindre, Chat Noir. Voici le terrain de jeu que je nous ai choisi.

– QUI ES-TU ? TA VOIX M'EST FAMILIÈRE.

– Moi, je ne reconnais pas la tienne. Aurais-tu mué, petit chaton ?

Une fois de plus, mon adversaire a l'avantage de la surprise. Perché au faîte de la toiture, le bout de sa longue perche à deux doigts de ma poitrine, il lui suffirait d'un geste pour me projeter dans le fleuve. Sa voix est celle d'une jeune femme, j'en suis certain.

– Dis bonjour aux poissons, imbécile !

Le coup me frappe au plexus et me culbute en arrière, dans le vide. Heureusement, je me rattrape par les griffes à un volet mal fermé. Je m'y balance comme je peux, suspendu au-dessus des flots dont j'entends le clapotis. Puis, d'un coup de pied, je défonce la fenêtre et me projette dans une chambre où un couple dormait. La dame se met à hurler ! Je traverse leur appartement obscur, renversant des meubles au passage, puis dévale un escalier jusqu'à la porte d'entrée. En quelques coups de griffes, je remonte sur les toits.

Renarde et Gaspard ont quitté la doublure de ma

veste et se sont installés dans ma capuche. Leurs moustaches me chatouillent le cou.

– CETTE FOIS, MES PETITS RATS, JE CROIS QU'ON L'A PERDU POUR DE BON.

– Il ne faut jamais désespérer, Chat Noir !

Le fantôme surgit de derrière une cheminée et tranche l'air, traçant un arc de cercle avec sa perche repliée en bâton de combat. Je bondis en arrière, décrivant une vrille, échappant de justesse au coup qui visait ma tête.

Mon adversaire, d'un geste, déplie sa perche. Il la plante entre deux tuiles, et se projette dans les airs à une hauteur impressionnante. Puis, durant le bref instant qu'il met à retomber, il raccourcit à nouveau son arme télescopique. La force avec laquelle il me tombe dessus fait éclater les tuiles sur lesquelles je m'effondre. Sans pitié, son pied frappe mon ventre, m'arrachant le peu de souffle qu'il me restait. Puis il me chevauche et, décidé à en finir avec moi, écrase son bâton contre ma gorge pour m'étrangler.

La lune devient floue derrière cette silhouette qui s'acharne sur moi. Je me dis que je vais mourir, sans même connaître le visage de mon assassin. Mais voilà que deux petits diables surgissent de ma capuche ! Ils se jettent dans celle de mon ennemi qui s'attendait à tout, sauf à voir un couple de rats lui sauter à la face !

La pression sur ma gorge se relâche et je peux inspirer. Un éclair d'énergie me traverse ! D'une main, je repousse la perche. De l'autre, je donne un grand coup de griffes qui arrache un cri de douleur au fantôme. Il recule, titubant.

Incrédule, je regarde son bras strié de quatre sillons rouges dans le vêtement déchiré. Il m'est intolérable de verser le sang, même celui d'un ennemi. Ma vie était en jeu, et pourtant je me sens terriblement coupable d'avoir blessé un être humain.

Puis mon effarement atteint son comble. En se jetant dans sa capuche, Renarde et Gaspard ont dévoilé le visage du fantôme. Ma gorge se resserre comme si l'on m'étranglait encore. Des larmes troublent mon regard et tout se trouble autour de moi. Avec une peine qui m'arrache le cœur, je prononce son nom :

– PHÉLINA !

Elle pousse un cri de rage et déploie sa perche. Avec grâce, elle se propulse de l'autre côté du pont. Je la regarde disparaître au-delà de la rive, trop abasourdi pour lui courir après.

J'ai perdu tout espoir de rattraper Phélina. Je ne suis même pas certain d'en avoir envie. Cependant, par acquit de conscience, je fouille les quartiers de Coronora vers lesquels elle s'est enfuie.

Renarde et Gaspard m'accompagnent toujours, mais ils n'ont plus de piste à suivre. J'ai voulu leur faire sentir à nouveau le morceau de vêtement. Hélas, il est resté trop longtemps sous ma veste et s'est imprégné, comme une éponge, de ma propre sueur.

Mes petits compagnons font pourtant ce qu'ils peuvent, et inspectent avec moi tous les recoins de la ville endormie. Ils sont admirables. Je n'oublierai jamais que leur bravoure m'a sauvé la vie.

Nos recherches nous entraînent jusqu'aux remparts extérieurs. Derrière s'étend la campagne, et j'ai bien envie d'arrêter ici. C'est alors que Renarde et Gaspard s'immobilisent, échangent quelques couinements, puis se dressent sur leurs pattes de derrière pour scruter les alentours.

Nous nous trouvons dans une impasse, au pied de la muraille qui sent fort mauvais. J'escalade une maison en ruine, sans étage, et me perche sur le toit pour avoir un meilleur point de vue. Rien ne m'apparaît.

Pourtant, les deux Rats-des-brumes sont en alerte. Les voici maintenant aplatis contre le pavé, moustaches hérissées et montrant les dents. Il me semble les entendre grogner.

Je redescends vers eux. Mais avant que je les aie rejoints, les voici qui s'élancent comme deux flèches vers l'entrée d'un égout ! Ils s'engouffrent à travers la grille, et je ne peux rien faire pour les suivre.

– RENARDE ! GASPARD ! REVENEZ !

Des cris aigus et terribles me répondent. Ils se battent ! Mais avec qui ? Ou avec quoi ? Bien que l'action se déroule à quelques pas, je n'y vois rien dans ce trou obscur. J'allume une torche-bâtonnet et la lance dans leur direction. Et alors, je comprends tout : mes deux petits héros se sont jetés sur un gros Ratakass !

Gaspard est grimpé sur son dos que protège une petite armure de cuir, et lui tire les oreilles en lui mordant la nuque. Quant à Renarde, elle le retient par la queue, avec la claire intention de l'amener dans ma direction. Le petit monstre se débat, mais il perd du terrain et ne parvient pas à s'enfuir. Il n'a pas l'air armé, mais ses incisives sont limées en pointes menaçantes. La fourrure de Gaspard est striée d'un filet rouge. Le pauvre s'est fait mordre.

Je passe le bras entre les barreaux, à plat ventre dans la fange qui coule dans l'égout. La bagarre continue, et j'encourage mes deux petits guerriers. Enfin, leurs efforts finissent par payer ! Se jetant de conserve contre leur adversaire, ils font rouler le Ratakass jusqu'à portée de ma main. Je m'en saisis et l'enferme entre mes griffes. Il se débat un peu, puis cesse de bouger.

– MA PAROLE, C'EST UN PETIT MESSAGER QUE VOUS AVEZ CAPTURÉ !

Un étui de cuir, fixé sous le ventre de l'animal, contient un minuscule parchemin enroulé. Je m'en empare, certain d'avoir entre les mains un message de Phélina destiné à ses complices. Puis, pris de pitié, je relâche le Ratakass qui s'enfuit sans demander son reste.

Mes petits rats s'installent dans ma veste et nous montons nous cacher sur le toit d'une grange. Tandis que Renarde lèche la blessure de Gaspard, j'examine le message à la lumière d'une torche-bâtonnet. Il est rédigé en caractères minuscules, dans la langue de Rivas'Tarak.

Nip ínuoz,

Ok irv vannt roi ka sakiofpa pivqi eqnái. Ymi máhàsa ckirtosa n'ilqâdgi fa dipsomyas. Qay olqissi, ny netroip irv vaslomía. K'ilqissi fat fidonapst roo piyr eefasips è wyomdqi Coronora. My wemki ats toqaszi. K'ee jŷva fa wiyr a wioq sáhmiq, is nio è wit dîvat.

Ka qytriqee ma sanneqv è my qkiepa mopa. Ro'ym dgitek n'esvapci è m'Irv tos my siysi.

Q. Q.

VIII

La gaffe de Chat Noir

– Ça veut dire *quoille* cette *charabiasse* signée cul-cul ?

– Je ne sais pas. Mais il faut absolument remettre ce message à la Reine ou au Chancelier.

– Fastoche ! On va d'mander à ma Sibylle.

Je range le petit parchemin dans ma poche en me disant que c'est une bonne idée. Pour l'instant, la petite amie de Cagouille est occupée. Je lui en parlerai quand leur spectacle sera terminé.

– Purin, c'qu'elle est belle quand elle danse. Tu trouves pas ?

Sur l'estrade de la place de Grève, qui sert aussi bien aux artistes qu'aux bourreaux, Sibylle cabriole au son d'un tambour et d'une vielle. Depuis le départ de M. Crapoussin, elle participe aux représentations que donne Cagouille pour les badauds de Coronora. Pieds nus, ses cheveux bruns tournoyant autour d'elle, elle glisse et se

cambre, en ondulant ses bras dans un geste envoû-
tant.

La foule est sous le charme. Je remarque parmi les
spectateurs un homme habillé d'une luxueuse tenue
de chasseur. Sa main gauche, qu'il tient à hauteur de
poitrine, est protégée par un gant de cuir blanc à
l'emmanchure pendante. Dessus est perché un fier
oiseau de proie, au plumage moucheté, et à la tête
couverte d'un petit chaperon[1]. C'est un fauconnier,
je le montre à Cagouille.

– Cet homme, là, ça ne serait pas...

– ... le père à Sibylle ? *Zactement*. Il aime pas trop
qu'sa fille joue les *saltimbranques* avec moi. Mais c't
une bonne pâte. Par contre, sa mère c'est une autre
chanson. Si qu'elle nous voyait, elle arracherait mon
zœil avec ses ongles.

– Tu n'es peut-être pas le gendre dont elle rêve.

– Passe-moi mes couteaux, j'vais entrer en scène.

Sibylle a ramassé une cible, faite d'un disque de
bois peint de cercles concentriques. Les deux musiciens accélèrent leur rythme, et elle accélère sa danse
en faisant tourner ce nouvel accessoire.

Cagouille, la ceinture bardée de poignards, fait
son entrée sur scène. Les spectateurs rigolent en le
voyant apparaître. Mon copain se fâche.

---

1. Coiffe couvrant la tête et les yeux du faucon de chasse
quand il est au repos.

– Qu'est-ce y vous fait rire, bande de nigauds ? C'est pas une clownerie, c'est un numéro périlleux !

Il faut dire que Cagouille s'est déguisé en une espèce de pirate, avec un bandeau sur son œil crevé, ce qui le rend franchement comique. Mais les rires cessent dès que le premier couteau file vers la danseuse. Un *tchac !* au centre de la cible, qui bouge constamment, fait monter des exclamations admiratives. Cagouille a toujours été doué pour lancer avec précision toutes sortes d'objets. Mais là, j'avoue qu'il se surpasse.

Sibylle a une confiance absolue en son amoureux. Elle continue de danser, souriante, pas inquiète pour deux sous. Enfin, lorsque la cible mouvante est criblée de couteaux, elle cesse son ballet. La musique s'arrête aussi.

– Et maint'nant, préparez-vous à être esbaudis jusqu'au trognon ! Que les *chofiottes* retournent chez leur mère, ça va peut-être saigner. Les autres, faisez gaffe à vot' bourse, c'est l'moment *ousque* les voleurs vont z'en profiter pour vous la faucher.

Tout le monde se marre, sauf les voleurs à la tire infiltrés parmi la foule. Et surtout, sauf le père de Sibylle, qui semble au bord de l'apoplexie ! Sa fille vient de remplacer la cible par un cœur taillé dans du bois qu'elle tient devant sa poitrine. Cette fois, elle reste immobile. Mais la nouvelle cible est fort petite et, pour corser le tout, Cagouille fait passer son bandeau sur son œil valide. Il va tirer à l'aveuglette.

Le silence est total. Nul ne bouge, à l'exception du père de Sibylle qui vient de retirer le chaperon de la tête de son oiseau. Sur un ordre de son maître, il s'envole et va planer au-dessus de la scène. Alors, à l'instant où Cagouille jette son poignard, le faucon plonge sur l'arme et l'intercepte en pleine course. Puis il revient vers son maître, lui rapportant le projectile comme il le ferait d'une proie.

Le public éclate de rire. Cagouille, qui n'a rien vu, retire son bandeau et prend un air ahuri.

– Qu'est-ce y s'est passé ?

Sibylle tape du pied, visiblement furieuse. Elle appelle le faucon qui lui obéit aussitôt.

– Kirk ! À la main !

L'oiseau vient se poser sur son poing enveloppé dans son foulard. La jeune fille dit quelques mots au rapace, puis le renvoie à son père. Kirk s'envole gracieusement vers son maître mais, au lieu de se poser sur le gant, il s'empare de son chapeau et le rapporte à Sibylle. Alors, elle fait un clin d'œil à Cagouille et jette le couvre-chef haut dans les airs. Celui-ci lance son dernier poignard, qui plante le chapeau contre la poutre d'un gibet à quinze pieds du sol.

Tout le monde applaudit. Une pluie de pièces

tombe sur l'estrade. Quant au père de Sibylle, il rit de bonne grâce et s'en va, tête nue, son faucon à nouveau posé sur le poing. Cagouille, les mains pleines de monnaie, me rejoint au pied de l'estrade.

– J't'avais dit, son père c'est une bonne pâte.

Sibylle s'approche et fait tomber dans sa robe repliée toutes les pièces qu'il tient. Puis elle s'éloigne en sautillant en direction du marché.

– Oh, eh, oh! C'est ma part! Ousque tu vas a'c mes sous?

– Acheter un chapeau neuf pour mon père! À tout à l'heure, mon Cagouchou.

En fin de matinée, Sibylle nous rejoint à la roulotte. Elle a enfilé une robe élégante, qu'elle porte sur un corset dont sa fine silhouette n'a nullement besoin.

– Vous venez avec moi à la cour? demande-t-elle.

– *Ouaille.* Ça te dit, Sashouille? Tu vas voir la crème du gratin du royaume.

– Moi, un étranger... On ne me laissera pas entrer!

– Accompagné par Sibylle? Bien sûr que si.

C'est l'heure à laquelle, chaque jour, la cour se rassemble pour tenir conseil et régler les problèmes du royaume. J'ai confié à Sibylle le message pris au

Ratakass. Elle doit profiter de l'occasion pour le donner à la Reine.

Je passe un coup de brosse sur mes chaussures et m'enveloppe d'une cape de théâtre, prise dans une malle à costumes de M. Crapoussin, histoire d'avoir meilleure prestance.

Sibylle nous tient tous deux par la main et, en effet, les hallebardiers à la porte du château nous laissent passer sans histoire. Nous pénétrons dans une salle large, garnie de tentures et de chandeliers. De grandes colonnes bordent une allée centrale couverte d'un tapis bleu. De chaque côté se tient une foule de nobles. Les hommes sont emplumés et portent à la ceinture des armes aux poignées rutilantes. Les femmes, coiffées de chapeaux compliqués, tiennent du bout des doigts un pan de leurs robes trop longues. Tout ce beau monde converse à voix basse, créant une rumeur qui se réverbère sous les voûtes.

Notre arrivée ne passe pas inaperçue. Oh, moi, on ne me remarque pas. Mais des regards amusés se tournent vers Cagouille et l'on se met à pouffer en se pinçant le nez.

– Purin! J'ai encore rien fait, déjà vous vous payez ma fiole! Qu'est-ce y a, faut que j'me déchausse pour montrer si j'sens bon?

Les pouffements se transforment en éclats de

rire. Mais une sonnerie de trompette met fin à l'intermède. On annonce Son Excellence le Chancelier, puis Sa Seigneurie le Connétable. Les deux hommes entrent dignement et se placent de chaque côté du trône, tout au fond de la salle. Enfin, la trompette joue encore et la voix clame : « Sa Majesté, la Reine ! » Chacun s'incline, et moi plus bas que tout le monde. Si bien que je ne la vois pas venir, et qu'elle siège sur son trône lorsque je me redresse.

Tenant son sceptre dans une main et une sphère dorée dans l'autre, elle s'exprime au milieu d'un silence absolu :

– Connétable, commencez.

Le chef de guerre, superbe, s'avance. Il n'a pas l'air content.

– L'armée que nous avons envoyée pour contrer nos ennemis a été vaincue. Ils n'ont même pas livré bataille ! Les rats empoisonneurs de l'Archiduc ont envahi les camps durant la nuit, pour paralyser nos soldats. Au matin, tous étaient désarmés et prisonniers.

Le Chancelier intervient à son tour :

– Par conséquent, nous avons décidé de rassembler nos forces autour de Coronora. Inutile d'envoyer nos troupes à une perte certaine. Trouvons d'abord une stratégie !

– Préparons-nous. L'armée des traîtres ne tardera pas à se jeter contre nos murs. Ils approchent !

À ces mots du connétable, des chuchotements inquiets parcourent l'assistance. Le Chancelier reprend la parole :

– L'espion surnommé le fantôme a volé, pour le compte de nos ennemis, des secrets qui peuvent précipiter notre défaite. Cette nuit encore, un document précieux est tombé entre ses mains.

Il se tourne vers la Reine, puis ajoute sur un ton presque de reproche :

– Hélas ! l'intervention d'un individu douteux, qu'en désespoir de cause nous avons engagé pour contrer l'espion, s'est révélée un échec total.

– Pas d'accord, messire Chancelier ! Voici qui prouve le contraire !

C'est Sibylle qui se manifeste. D'un pas décidé, elle marche jusqu'au trône en brandissant le message écrit par Phélina en langue rivas'ta. Un garde va pour s'interposer, mais la Reine le renvoie à sa place.

– Laissez approcher ma filleule préférée. Elle a toujours audience si elle le souhaite.

Cagouille me donne un coup de coude et m'envoie un regard qui signifie : « T'as entendu, vieux ? Sa filleule préférée ! »

– Votre Majesté, Chat Noir n'a pas capturé le

fantôme. Mais il a intercepté ce message que l'espion envoyait à ses alliés.

Le Chancelier saisit le bout de parchemin et le déroule, incrédule. Mais ses yeux s'écarquillent lorsqu'il découvre le texte mystérieux qui y est écrit.

– Du rivas'ta ! s'exclame-t-il.

Il le montre à la Reine et au Connétable qui manifestent un grand étonnement. Puis il demande que l'on sonne la trompette et déclare :

– Belles dames et gentils seigneurs, Sa Majesté vous remercie. Le conseil est terminé pour aujourd'hui.

Toute la cour se met en mouvement, nous entraînant, Cagouille et moi, dans son flot vers l'extérieur. Seule Sibylle reste dans la salle avec les maîtres du royaume.

Un peu plus tard, elle nous retrouve dans la roulotte. Son joli minois fait la grimace, car Cagouille expérimente une recette tirée de son grimoire de cuisine. L'air est empuanti. À mon avis, il y a des noms d'ingrédients qu'il n'a pas lus correctement.

– N'empoisonne pas ton copain, mon Cagouchou. La Reine a encore besoin de lui.

– C'est-à-dire ?

– Chat Noir a rendez-vous, même lieu que la dernière fois. Quand la tenture au chat pendra à la fenêtre.

Je passe une partie de la journée avec mes deux amis, jusqu'à ce qu'ils m'abandonnent pour se rendre à l'hôpital de Sibylle. Cagouille ne sait pas que l'espion n'est autre que Phélina. Je n'ai pas trouvé le courage de noircir davantage le tableau qu'il se fait d'elle.

Lorsque le soleil descend derrière les remparts, que les oiseaux se rassemblent pour piailler leur chanson du soir, la tapisserie au chat apparaît dans la lumière du crépuscule. J'enfile mes gants-griffes et, lorsque la nuit a chassé les dernières couleurs dans le ciel, je grimpe jusqu'à la fenêtre où l'on m'attend.

Cette fois, point de mise en scène pour m'accueillir. La Reine et son Chancelier se tiennent dans la lumière des lampes brûlant une huile parfumée.

– Vous voilà enfin, Chat Noir ! Sa Majesté a attendu !

– CE CHAT NE SORT QUE SOUS LES ÉTOILES. QUE VOULEZ-VOUS ?

– Nos clercs ont finalement traduit le message que vous avez intercepté.

– PUIS-JE VOIR ?

Le Chancelier se tourne vers la Reine qui acquiesce d'un signe de tête. Avec un soupir désapprobateur, il me tend un parchemin. J'y lis ces mots de Phélina qui me font mal au cœur :

Mon époux,

Il est temps que je rejoigne notre armée. Une légère blessure m'empêche de continuer. Peu importe, ma mission est terminée. J'emporte des documents qui nous aideront à vaincre Coronora. La ville est superbe. J'ai hâte de vous y voir régner, et moi à vos côtés.

Je franchirai les remparts à la pleine lune. Qu'un cheval m'attende à l'est sur la route.

P. P.

– Nous ignorons l'identité de ce P. P., mais ça n'est pas ce qui importe.

– PRINCESSE PHÉLINA. UNE NOBLE DE DEUX-BRUMES, MARIÉE PAR L'ARCHIDUC À SON ALLIÉ LE PRINCE VIKTAR. CETTE ALLIANCE CONFÈRE AU PRINCE ÉTRANGER UNE LÉGITIMITÉ DANS LE ROYAUME.

– Vous savez bien des choses. Quoi d'autre, sur le prince Viktar ?

– IL EST NOTRE VÉRITABLE ENNEMI. L'ARCHIDUC DE MOTTE-BROUILLASSE N'EST QU'UN PANTIN ENTRE SES MAINS. UN TRÔNE

NE SE PARTAGE PAS. ET S'ILS OBTIENNENT LA VICTOIRE, JE DOUTE QUE L'ARCHIDUC S'EN APPROCHE JAM...

La Reine se lève et m'interrompt, d'une voix qui claque comme le tonnerre :

– La victoire ne leur appartiendra pas !

Elle se rassied et me sourit. Sa voix retrouve sa douceur.

– Mais pour cela, les documents volés par le fantôme ne doivent pas quitter la ville. Le Chancelier a établi un plan pour intercepter cet espion, tant qu'il est encore temps. Il comporte un petit rôle que j'aimerais attribuer à Chat Noir. Qu'en dites-vous ?

– C'EST UN HONNEUR DE VOUS SERVIR, VOTRE MAJESTÉ.

– Eh bien ! Si tous les bandits du royaume vous ressemblaient, je ferais ouvrir les prisons !

Elle rit, j'en fais autant avec timidité. Le Chancelier patiente. Puis, lorsque la Reine retrouve son sérieux, il m'explique son projet et ce que l'on attend de moi.

*

Il me faut patienter une petite semaine jusqu'à la nuit de pleine lune, durant laquelle le fantôme a l'intention de quitter la ville. Ces journées se déroulent dans une certaine insouciance, en dépit des nouvelles qui nous parviennent de l'avancée rapide des troupes de l'Archiduc vers Coronora. Ce matin, je me suis délassé aux bains publics. Expérience fort agréable, mais aussi très amusante, car c'était le décrassage hebdomadaire de Cagouille. Il n'aurait pas rechigné davantage si on l'avait mené au bûcher.

Reposé, j'ai enfilé mes gants-griffes, et me voici parcourant les toits avec l'énergie d'un chat resté trop longtemps enfermé. L'astre nocturne, plus large dans le ciel que son frère le soleil, illumine la ville d'un éclat froid et tranchant. Courant, roulant, bondissant, presque en volant, je franchis les obstacles et les ravins que font les rues, en direction de l'est.

Le Chancelier a deviné pourquoi l'espion fantôme a choisi ce côté des remparts pour s'enfuir. Il se trouve que des travaux y ont été entamés d'urgence pour réparer la muraille, négligée en temps de paix, avant que l'ennemi atteigne Coronora. Aussi, un grand échafaudage a été installé contre la face extérieure du rempart. Voici, sans aucun doute, « l'escalier » que Phélina compte emprunter pour nous fausser compagnie.

L'idée du Chancelier est ingénieuse. Phélina ignore que son message a été intercepté et que nous connaissons ses intentions. « Utilisons cet atout

pour prendre au piège cette mouche qui nous agace!
a-t-il dit. Tendons sur son chemin une toile d'araignée. » En grand secret, l'étage supérieur de l'échafaudage a été bardé de filets, discrètement enroulés.
Des hommes habiles s'y trouvent cachés. Lorsque le
fantôme y mettra le pied, ils n'auront qu'à tirer sur
leurs cordes et le papillon de nuit sera pris au piège.

Mon rôle dans cette embuscade n'est pas compli-
qué. J'espère m'en acquitter plus brillamment que de
ma mission précédente. Non loin du guet-apens
s'élève une tour où l'on sonne le tocsin, hérissée de
gargouilles et de chimères sculptées. En l'escaladant,
je rencontre ces figures de pierre qui n'ont jamais vu
personne d'aussi près. Mon poste est au sommet. De
là, je surveille le secteur de mes yeux habitués à la
nuit. Et quand la proie s'approchera du piège, j'allu-
merai une flamme qui préviendra les gardes cachés
de se préparer à lâcher leurs filets.

L'attente est fort longue. Immobile, j'ai froid et je
frissonne. Minuit a sonné depuis longtemps
lorsqu'enfin j'aperçois la silhouette du fantôme. Pro-
pulsée par sa perche, Phélina file sur les remparts.
Puis elle la replie à la longueur d'un bâton et se met
à courir, en sautant de créneau en créneau, vers
l'endroit où on l'attend. Vite! J'enflamme une
torche-bâtonnet que je coince dans la gueule d'une

gargouille. Puis, pas fâché de me dérouiller, je bondis de la tour vers le toit le plus proche, puis de là, en quelques sauts périlleux, non loin du piège qui attend notre espionne. Dans l'ombre d'une cheminée, je la regarde passer.

Arrivée au-dessus de l'échafaudage, Phélina déplie sa perche, la passe derrière le rempart et se laisse glisser tout au long comme on descend d'un mât de cocagne. Je bondis vers la crête du rempart, juste au moment où on lâche les filets. Elle est prise au piège !

Comme des diables, les hommes d'armes ont surgi des caisses de bois qui les dissimulaient. En équilibre sur les planches, ils se rapprochent de la prisonnière qui se débat en rageant. Mais Phélina, devenue une farouche guerrière, a plus d'un tour dans son sac. Et sa perche, qu'elle sépare en deux parties, dissimule deux sabres aux lames fines qui semblent faites de diamant. Elle tranche d'un seul coup une large ouverture dans la corde des filets, si épaisse qu'une arme ordinaire ne l'entamerait qu'avec peine.

Les gardes s'affolent. Certains pointent leurs arbalètes tendues en direction de Phélina qui, déjà, s'extirpe de sa prison.

– Il va nous échapper ! Abattez-le ! Tirez !

– Non !

Je me jette dans le feu de l'action. Phélina a reconstitué son bâton et les lames ont disparu. Elle s'en sert pour dévier les flèches qui fusent vers elle. Mais les projectiles sont trop nombreux. Avec un bruit mat, épouvantable, un carreau se fiche dans son épaule. Phélina pousse un cri et tombe en arrière, au bord du précipice. Elle lâche son bâton qui disparaît en tournoyant, et qu'on entend se fracasser plus bas sur les rochers.

— Achevez-le! Tirez!

Il faut du temps aux arbalétriers pour réarmer. Je bondis au milieu de leur groupe et, en quelques coups de griffes, en désarme la moitié. Leurs arbalètes vont rejoindre l'arme de Phélina. Les autres recommencent à tirer. Cette fois, c'est moi qu'ils visent. Je n'ose pas me battre contre eux, de peur de les faire tomber dans le vide. Heureusement, les leçons de mon père dans la forêt me permettent, tel un écureuil, d'esquiver les traits qui fusent.

Phélina s'est relevée et je lui lance :

— PENDEZ-VOUS À MON COU!

Elle hésite, regarde vers le bas, mais, n'y voyant aucun espoir de s'enfuir, elle passe un bras autour de moi. Heureusement qu'elle ne pèse pas lourd! J'entends le craquement des arbalètes qui se tendent. Ceux que j'ai désarmés se ruent vers nous, l'épée à la main. Ils ne sont pas assez rapides. À la force des bras, les griffes déchirant la muraille, j'emporte Phélina à l'abri du danger.

Lorsque nous sommes sur le rempart, elle se détache de moi. Nous sautons côte à côte sur le toit le plus proche. Puis, de là, après une cavalcade effrénée, nous rejoignons l'obscurité d'une ruelle, où nul ne nous voit disparaître.

Face à face, nous reprenons notre souffle. Le capuchon de Phélina est tombé en arrière. Dans la pénombre, son visage est plus beau que jamais. Je viens de la sauver ! En cet instant, je voudrais qu'elle connaisse ma véritable identité. Mais je ne veux pas briser mon secret, même pour jouir d'un instant de revanche.

Phélina se mord les lèvres et me fixe. Sans ciller, elle empoigne la flèche plantée dans son épaule et l'arrache d'un coup sec. Puis elle la jette au loin comme s'il s'agissait d'un serpent. La tache de sang s'élargit sur son vêtement.

– Chat Noir, je ne te comprendrai jamais. Tu as trahi ta précieuse Reine, pour sauver l'ennemi ?

– VOUS N'ÊTES PAS MON ENNEMIE. JE PENSE QUE VOUS ÊTES UNE VICTIME QUI S'IGNORE.

Phélina éclate d'un rire moqueur. Je regrette ces paroles qui trahissent ma faiblesse.

– LE PLAN ÉTAIT DE VOUS CAPTURER, PAS

DE VOUS ASSASSINER. CHAT NOIR N'A JAMAIS
TUÉ. IL NE TUERA JAMAIS.

Elle arrache un morceau de sa cape qu'elle noue
autour de sa blessure. Puis elle rabat sa capuche et
son visage disparaît.

– Il y a quelques nuits, j'ai voulu t'étrangler. J'étais
prête à te tuer. Et aujourd'hui, tu me sauves! Veux-
tu connaître mon opinion?

– JE VOUS ÉCOUTE.

À la vitesse de l'éclair, Phélina saute dans les airs
en tournoyant. Son pied vient me frapper la tempe
avec une puissance incroyable. Je tourbillonne
comme une toupie et me retrouve projeté contre de
vieux tonneaux pourrissant au fond de l'impasse,
qui s'écrasent sous mon poids.

– Chat Noir, tu es un vrai ballot!

Quand je retrouve mes esprits, Phélina a disparu.
La tête me tourne, ma vision est brouillée, j'ai mal
partout. Et je me dis que son opinion est fichtrement
exacte.

Exténué, je me dirige vers le château. La ville est
en alerte. Tous les gardes sont dans les rues. Torche
à la main, ils fouillent systématiquement chaque
maison. Malgré les forces déployées, je doute qu'ils
mettent la main sur leur fantôme.

En arrivant à la roulotte, je ne trouve pas

Cagouille. Son livre de cuisine est grand ouvert sur la table. Il a écrit un message à l'intérieur de la couverture :

J'avais pas du parchemin. Mon vieux, cet urgeant. Enlève pas tes moufles et viende trou de suite à l'ospital. Question de vite ou de mord! Grouille!

Quelques minutes plus tard, j'atterris au milieu de la cour de l'hôpital de Sibylle. C'est la première fois qu'elle voit Chat Noir. Mais elle est trop angoissée pour en faire cas. Cagouille, qui surveillait la porte donnant sur la rue, nous rejoint.

– Purin, y s'approchent, faut s'activer les méninges.

– EXPLIQUEZ-VOUS.

D'un geste du menton, Cagouille me montre une silhouette voûtée et tremblante qui se tient dans l'ombre et que je n'avais pas remarquée. En voyant cette personne couverte de bandages de la tête aux pieds, un frisson d'épouvante me parcourt. Sibylle me prend par le bras, son regard est suppliant.

– Il faut sauver mon lépreux! Les gardes fouillent toutes les maisons, toutes les caves, tous les greniers!

– Les lépreux sont *trisquement* interdits en ville. S'ils le trouvent, y vont l'jeter au feu ou à la rivière. Et ficher ma Sibylle au tribunal!

Dehors, on frappe à la porte du mur d'enceinte de l'hôpital.

— Purin de *merdre*, c'est la garde !

— UNE ÉCHELLE, VITE !

Le pauvre malade se traîne jusqu'au fond du jardin, derrière le bâtiment, où Sibylle et moi installons une échelle pour franchir le mur. Pendant ce temps-là, Cagouille fait un numéro aux hommes d'armes qui tentent d'entrer pour les retarder. Avec une infinie répugnance, j'aide l'invalide gémissant à descendre dans la ruelle. Je l'y rejoins, Sibylle nous accompagne.

Le lépreux, appuyé sur son bâton de pèlerin, avance avec peine. Nous quittons l'île centrale, puis traversons prudemment les quartiers extérieurs. Le trajet semble prendre des heures. Sibylle, qui connaît parfaitement la ville, nous mène jusqu'aux remparts par un dédale de ruelles obscures. Enfin, nous voici tout près de l'une des portes de Coronora.

— Cagouchou dit que vous pouvez ouvrir n'importe quelle serrure.

— C'EST VRAI.

— Je vais faire diversion chez les gardes. Profitez-en pour faire sortir cette malheureuse créature.

Sibylle fait ses adieux au pauvre malade qui, d'une voix tremblante, presque inaudible, la bénit pour sa charité et son bon cœur. Puis, tandis que nous restons dans un angle obscur, elle traverse la rue, en se faisant bien voir des deux soldats. Nous attendons, quelques instants passent, Sibylle a disparu. Mais soudain, sa voix retentit, plus loin derrière les maisons :

– Au secours ! Le fantôme ! Il s'enfuit ! À la garde ! À la garde !

Les deux gardes ne réfléchissent même pas. Brandissant leurs lances, ils se précipitent en direction des appels et disparaissent dans les petites rues. Sans perdre un instant, je déverrouille la porte grâce à mon croque-serrures. Ça n'est pas suffisant, car une poutre de chêne est fixée en travers des battants. Heureusement, le lépreux trouve dans son désespoir la force de m'aider à la soulever hors de ses crochets.

J'entrouvre la porte. De l'autre côté, le chemin s'enfonce dans la campagne. Traînant les pieds, épuisée par l'effort qu'elle vient de fournir, la triste créature franchit le seuil de la ville, enfin libre. Je regrette de ne pas avoir avec moi un peu d'or à lui donner.

– PARTEZ VITE, JE VAIS REFERMER. DANS UN INSTANT, LES GARDES VONT REVENIR.

– Merci, du fond du cœur.

La voix gémissante, chevrotante est chargée de gratitude.

– MON PAUVRE AMI. SAVEZ-VOUS SEULE-
MENT OÙ ALLER ?

La réponse se fait d'une voix toute différente,
claire, forte et moqueuse.

– Oh, oui ! Je vais rejoindre l'armée de mon époux.
Adieu, ballot !

Le lépreux fait tournoyer son bâton, me le jette à
la face, et s'enfuit dans la nuit à toutes jambes.
Sidéré, je reste immobile à écouter le rire de Phélina
disparaître dans le lointain.

IX

Sasha passe à l'ennemi

Cagouille se réveille en bâillant, produisant un son semblable à un grincement dans une caverne. Son œil à peine ouvert, il hume l'atmosphère et flaire le bouillon que j'ai mis à chauffer. La roulotte est dans la pénombre, bien que neuf heures aient sonné à la chapelle du château. J'ouvre le rideau et le soleil s'y engouffre. Ses rayons font danser un million de grains de poussière.

– Sashouille ? Mais… Pourquoi tu fais ton *ballochon* ?

– Sois gentil. Évite les mots qui commencent par « ballo ».

– Qu'est-ce tu racontes, t'es *marboule* z'ou *quoille* ?

– Je retourne à Deux-Brumes. Ici, Chat Noir ne fait que des bêtises.

– Mais pô du tout ! Un vrai héros ! Qui qu'a sauvé l' lépreux, cette nuit, au *pérille* de sa vie ? C'est *toille* !

– Ton lépreux, c'était Phélina.

– Purin de *merdre*! Tu rigoles?

– J'en ai l'air? Et Phélina, c'était le fantôme. Avant de l'aider à sortir de la ville, emportant des informations vitales, je l'ai tirée du piège tendu par le Chancelier. Le voilà, ton héros.

– Purin de purin!

– Mieux vaut rentrer chez moi. Ici, je rends davantage service à nos ennemis qu'à la Reine.

– Cette Phélina! Elle te mène encore par le trou du nez. Avant, c'était une vraie garce. Mais d'puis qu'elle est tombée dans la soupe à *Ratachiass*, comme tu m'as raconté, elle est devenue le Diable en personne.

C'est vrai. La potion qui a transformé Phélina l'a rendue plus forte, plus intelligente, et même plus belle. Mais on dirait que la métamorphose a également détruit une part de son humanité.

Par le carreau, nous apercevons Sibylle qui approche. Cagouille s'affole :

– Sashouille, lui dis pas que son lépreux était le fantôme… ou Phélinasse… enfin, l'espion, *quoille*. Pas la peine de la faire *cultabiliser*.

J'approuve. Aussi, quand Sibylle entre et me serre dans ses bras pour me remercier, je la laisse croire à son histoire. D'ailleurs, mieux vaut garder le secret absolu sur le sujet. À la cour, on doit déjà savoir que j'ai sauvé l'espion. Inutile de crier sur les toits que je lui ai également permis de quitter la ville.

Sibylle prend un air embarrassé et dit tristement :

– J'ai une mauvaise nouvelle.

Elle sort de sa ceinture une feuille enroulée et la déplie pour nous la montrer.

– Regardez ce que l'on placarde dans toute la ville.

Recherché pour trahison
CHAT NOIR
Griffu et dangereux
Récompense : 30 écus d'or
Mort ou vif

– Quels *radinasses*! Tu vaux dix fois plus à Deux-Brumes.

– Qu'est-ce que ça signifie, Sasha ?

Sibylle ne comprend pas. Je lui explique que j'étais d'accord pour aider à capturer le fantôme, mais pas pour qu'on l'assassine sous mes yeux. C'est pourquoi je l'ai aidé à échapper aux gardes qui tiraient.

– Tout le monde a le droit de vivre. Même les méchants ! Seule la vie permet de regretter ses erreurs et de retrouver le bon chemin. Le meurtre, même quand on le croit justifié, transforme tout le monde en monstre.

Cagouille se fiche de moi. Il trace une auréole au-dessus de ma tête et joint les mains en regardant le ciel. Mais Sibylle acquiesce en silence, visiblement touchée par mes paroles. Puis elle se secoue, comme si elle sortait d'un rêve.

– C'est l'heure du conseil de la cour. Vous venez?

– Moi, *vouille*. Mais môssieur Sashouille est sur le départ. Lui tarde de retrouver son Collegium.

– J'ai bien le temps. Allons-y ensemble. Je veux connaître les nouvelles.

Nous entrons à pas de loup, car la cour est rassemblée en silence, pendue aux lèvres du Connétable. Sur une grande carte tendue à la vue de tous, il touche du bout de son épée une série de villes représentées par des points verts. Il les nomme une à une, se rapprochant chaque fois davantage d'un gros point bleu représentant la capitale.

– ... Tarlas, Carcannosse, La Roc-Gageague, Porvins! Même le château de Janac! Toutes les villes de la contrée sont tombées aux mains de l'Archiduc de Motte-Brouillasse.

Une rumeur épouvantée se fait entendre lorsque l'épée du Connétable pique la tache bleue, posée sur la ligne tortueuse représentant le fleuve.

– Coronora est la prochaine proie de cette armée invincible. Il n'y a pas lieu d'en douter. Dans quelques jours, l'ennemi lâchera sa horde de rats maudits sur notre belle cité. Le royaume se tient au bord du précipice ! Il a déjà une jambe dans le vide.

Une vague de panique s'empare de l'audience. Immobile sur son trône, grave, le regard tendu vers l'infini, la Reine reste impassible. Le Chancelier fait les gros yeux au Connétable et s'avance, montrant la paume de ses mains dans un geste apaisant.

– Allons, mes seigneurs, ne perdez pas espoir. Coronora n'est pas aussi facile à faire tomber que les villes de province. L'élite de nos armées s'y rassemble. Et la surprise ne fait plus partie de l'arsenal de nos ennemis. Nous les attendons de pied ferme ! Coronora tiendra !

Loin d'être galvanisé par ces paroles, l'auditoire s'énerve. Des phrases pleines de reproche et d'angoisse fusent et s'entremêlent. Comme un écho, le mot « Ratakass » rebondit sans cesse dans le brouhaha.

La Reine se lève et regarde sa cour. Cela suffit à ramener un silence immédiat. Sans tourner les yeux vers lui, elle s'adresse au Chancelier.

– Quelles sont les chances que des renforts de Rivas'Tarak arrivent à temps ? Ces rats maléfiques sont le produit de leur science. Ils sauraient nous en débarrasser.

– Votre Majesté, les chances sont minces. À supposer, tout d'abord, que nos ambassadeurs aient su sensibiliser à notre cause les frères du prince Viktar.

– Mieux vaut ne pas trop y compter. Les deux rois de Rivas'Tarak ne sont pas réputés pour leur philanthropie. Quelle autre stratégie contre ces Ratakass et leur poison qui paralyse ?

Le Chancelier prend un air soucieux qui plisse tout son visage. Le Connétable reste de marbre.

– Point de stratégie contre ces démons, Votre Majesté. Si seulement nous savions comment on les commande ! À quoi ils obéissent ! Nous pourrions chercher un moyen d'agir contre eux. Hélas… C'est un mystère.

Comment on commande les Ratakass ? À quels ordres ils obéissent ? Mais, je le sais, moi ! C'est la musique qui les dirige. Il suffit de jouer certains airs, et ils exécutent la manœuvre qui correspond à telle ou telle musique. De plus, je sais qui possède un livre de partitions contenant les ordres pour la guerre. Comment n'y ai-je pas pensé plus tôt ?

Je pince le bras de Cagouille qui sursaute.

– Sortons, dis à Sibylle de nous suivre. J'ai une idée formidable !

– Houla ! *Castatrophe* en perspective…

Nous retournons dans la roulotte, tandis que le conseil continue à l'intérieur du château. Je remarque de nouveaux chevaux de guerre que l'on étrille à l'écurie. Ils ont l'air fatigués et les palefreniers s'empressent autour d'eux. De nombreux chevaliers, las et poussiéreux, se rafraîchissent autour d'une fontaine. Les troupes dispersées de la Reine se rassemblent à Coronora.

– *Alorss*, c'est *quoille* ton idée ?

– Donne-moi de quoi écrire. Une plume, de l'encre.

Cagouille dégote tout ça dans les affaires de M. Crapoussin. Pas besoin de parchemin, je prends l'avis de recherche que Sibylle a ramené et j'écris, au dos, ce message :

Votre Majesté,

Je ne suis pas un traître. Au contraire, je suis celui qui a été trahi. On m'avait envoyé tendre un piège, mais c'est à un meurtre que j'allais participer. Chat Noir a fait vœu de ne jamais tuer. Cette promesse, je la tiendrai jusqu'à ma mort.

Vous aurez bientôt la preuve de ma loyauté. À Deux-Brumes, j'ai découvert le secret pour diriger les Ratakass. Je compte remettre entre vos mains un objet qui permettra de commander vous-même aux rats de l'ennemi : stopper leur attaque, les retourner contre leurs maîtres, tout ceci vous sera possible… si je parviens à m'en emparer.

Souhaitez bonne chance à votre serviteur,
Pour la Reine!

Chat Noir

Je donne le message à Sibylle et lui demande de le remettre à Sa Majesté, de la part de Chat Noir. Je l'autorise à le lire, ce qu'elle fait à haute voix pour que Cagouille en profite.

– Mon vieux, t'as un d'ces styles! C'est beau... Mais qu'est-ce ça veut dire?

– Ça veut dire que les Ratakass obéissent à des airs de musique. Ça veut dire que l'Archiduc a un livre de partitions, des ordres qu'on leur donne à la guerre. Ça veut dire que je vais voler ce livre et le rapporter à la Reine!

– Rien qu'ça? Et avec quelle armée?

– Tout seul.

Les troupes de l'Archiduc se rapprochent, mais leur campement, rapporte-t-on, se trouve quand même à vingt lieues[1] de Coronora. Inutile d'espérer m'y faire conduire. Transports et voyageurs fuient cette direction, et c'est trop loin pour faire la route à pied. Sibylle me propose une solution qui ne me plaît guère. Mais je crains de ne pas avoir le choix.

---

1. Plus de soixante kilomètres.

Nous la suivons, Cagouille et moi, dans l'écurie royale. Elle y connaît tous les chevaux et chaque cheval semble la connaître.

– Les plus âgés, je les ai tous soignés et dorlotés. Quant aux plus jeunes, il n'y en a pas un que je n'aie vu naître. Ah! la voici! Sasha, je te présente Miranda. Miranda, voici Sasha. C'est un cul tendre, tu vas devoir le ménager.

Sibylle fait sortir de sa stalle une belle jument tricolore, qui bat de ses longs cils en m'examinant. Je l'ai prévenue que j'étais un piètre cavalier, sans expérience des chevaux. C'est ce qu'elle doit appeler un cul tendre.

– Ne t'inquiète pas, Sasha. Miranda est douce et très intelligente. Elle ne te brusquera pas. Elle sait également retrouver seule le chemin de la maison, même de très loin. Regarde! Elle t'adopte déjà.

En effet, la jument me lèche le visage du menton jusqu'au front, me laissant l'impression d'avoir été embrassé par un escargot géant.

Sibylle selle Miranda et nous sortons. Je suis prêt à partir. Mais auparavant, je prends Cagouille à part. J'ai un paquet enveloppé de toile ficelée que je lui donne.

– Tiens, je te confie ceci. Cache-le, je n'ai rien de plus précieux.

– C'est *quoille*?

– Mes gants-griffes et autres accessoires de Chat Noir. S'il m'arrive quelque chose, si je ne reviens pas, rapporte tout ça à mon père. Tu veux bien ?

– T'es *zinzou* z'ou *quoille* ? Tu pars cambrioler l'Archiduc et t'emmènes pas tes moufles ?

– Pour quoi faire ? Je ne vais pas en ville. L'armée campe dans la campagne, je ne vais pas jouer les chats de gouttière sur des toiles de tente et autour des feux de camp. Au contraire ! En Chat Noir, j'aurais toutes les chances de me faire remarquer. Mon plan nécessite que je me fonde dans la masse.

– *Esplique* un peu.

– Je vais m'engager dans l'armée de l'ennemi. Puisque l'Archiduc et Viktar ont laissé des troupes dans les villes qu'ils ont prises, ils doivent chercher de nouvelles recrues. Une fois dans la place, je localiserai le livre de musique, je m'en emparerai, puis je le rapporterai ici.

– Purin de *merdre*, t'appelles ça un plan ? Tu risques surtout de pendouiller au bout d'une corde, ou de recevoir une volée d'flèches dans l'*poste-arrière* !

– Je sais. C'est aussi pour ça que je te laisse mes gants-griffes. Si je meurs, ils ne doivent pas tomber entre de mauvaises mains.

– Ben, mon vieux…

Cagouille est ému. Lui et Sibylle m'accompagnent

hors de la ville. Nous nous quittons la larme à l'œil. Miranda prend un petit galop qui ne me secoue pas trop et m'entraîne dans la campagne. L'air est si doux, la végétation si belle, l'horizon vallonné si paisible ! De quel droit la guerre des hommes vient-elle troubler l'ordre délicat de la nature en paix ?

*

Deux jours d'un voyage épuisant ne m'ont pas convaincu des plaisirs de l'équitation. En descendant de cheval, je suis tellement endolori que j'ai peur de ne plus pouvoir m'asseoir avant longtemps. Je conduis Miranda au flanc d'une colline couverte d'une herbe grasse dont elle se régale. Quand elle sera reposée, je la laisserai repartir, en espérant que Sibylle n'a pas surestimé son sens de l'orientation.

En gagnant le sommet de la colline, j'ai une vue impressionnante sur le campement des troupes de l'Archiduc. Au centre, d'immenses tentes blanches forment une espèce de château de toile, dont les sommets pointus portent les bannières des Motte-Brouillasse et du prince Viktar. Autour, à perte de vue, des abris plus modestes sont rangés avec une régularité toute militaire. Une foule innombrable de soldats évolue dans cette ville éphémère, véritable fourmilière colorée d'où montent le bruissement des armures, le piaffement des chevaux et l'écho des ordres que l'on aboie. Dire que j'ai l'intention de me rendre là-bas... Je me sens tout à coup bien petit, et bien vulnérable.

Je me suis mis à plat ventre pour observer discrètement l'ennemi. Comme je décide de me relever pour rejoindre Miranda, une douleur entre les omoplates m'en empêche. Je m'écrase à nouveau contre le sol. C'est la pointe d'une arme que l'on appuie contre mon dos.

– Ici, les gars ! Y a une sorte de lézard qui rampe dans l'herbe !

Le ton est vulgaire, la voix rocailleuse. Le pas de plusieurs hommes nous rejoint. Des bottes sales et bardées d'acier apparaissent autour de moi. Je tente de lever la tête, mais un pied posé sur ma nuque m'aplatit le nez contre le sol.

– C'qu'on fait avec ce vermisseau ? On ramène ou on écrase ?

– On écrase.

Une main gantée me prend par les cheveux, et j'aperçois l'éclat d'une épée qui va s'abattre sur moi ! Une autre voix, un peu en retrait, intervient et me sauve la vie. Du moins, provisoirement.

– Arrête ça, imbécile ! On ramène, c'est un espion.

– Un espion ?

La main qui m'empoigne par la tignasse me met debout. Je me retrouve au milieu de cinq affreux soldats, sûrement une patrouille, dont les faces bestiales rappellent la pire racaille des bas-fonds de Deux-Brumes. J'essaie de protester, la gorge serrée par la peur, comme un lapereau plaidant au milieu de loups affamés.

– Je... ne suis pas un espion !

– Ah non ? T'es quoi ?

– Un volontaire. Je viens pour m'engager. Je veux combattre à vos côtés.

Les brutes éclatent de rire. Celui qui me retient s'esclaffe si fort qu'il doit me lâcher pour se serrer les côtes.

– Eh, les gars ! V'là les renforts ! La victoire est à nous !

Ils rigolent de plus belle. Sauf le dernier arrivé, qui semble être en charge du groupe. Il me prend par le bras pour me traîner jusqu'à Miranda. Sur le haut de la cuisse de la jument, il désigne un marquage au fer impossible à confondre.

– Et ça, qu'est-ce que ça représente, hein ?

Ça n'est pas moi qui réponds, mais les quatre soldats tous en chœur :

– Les armoiries de la Reine !

– Emmenez-moi cet espion au camp ! Exécution !

Je me retrouve pieds et poings liés, jeté en travers de l'échine de Miranda. La voix de Cagouille résonne dans ma mémoire : « Purin de *merdre*, t'appelles ça un plan ? »

X

Dans la gueule du loup

De loin, le camp militaire avait un aspect ordonné et flamboyant, donnant une impression de prestige. Mais vu de l'intérieur, tout paraît rude et crasseux. Dans la partie centrale loge l'élite et la noblesse, sous les plus beaux abris, avec mobilier de voyage et domestiques. Puis, plus on s'en écarte, plus les soldats ont des gueules de soudards, et plus les campements sont pouilleux.

Toujours à plat ventre sur ma monture, on me fait traverser ces différentes zones, des taudis de la piétaille jusqu'aux tentes à franges des officiers. Là, enfin, on me jette à terre, tandis que l'homme qui me conduit appelle un supérieur. Un noble seigneur daigne apparaître, portant une cuirasse gravée de têtes de lion. Il jette sur moi un bref coup d'œil.

– Commandant, c'est un espion qui nous surveillait depuis une colline.

– Eh bien, quoi, que voulez-vous que j'en fasse ?

– Vous voulez pas qu'on l'interroge ?

– Mais vous ne pensez qu'à vous amuser ! Pendez-le et reprenez votre patrouille.

– À vos ordres, mon commandant !

Je proteste, criant à l'injustice, appelant au secours, au milieu de l'indifférence générale. L'homme, aidé d'un compère, me plante sous un gibet et me passe la corde au cou. Les soldats commencent à s'intéresser à moi. Un public s'assemble mollement, blasé de ce spectacle qui doit être fréquent.

– C'est une erreur ! Je veux un procès ! Qu'on me rende justice !

– Monte sur le tabouret et ferme-la. Justice te sera faite dans une minute. De quoi te plains-tu ?

La soldatesque ricane, je sens que je vais m'évanouir. Des mains puissantes me perchent sur le tabouret et une corde se resserre sur ma gorge. Je n'ai plus que quelques secondes à vivre.

Un groupe de cavaliers approche, leurs chevaux marchant au pas. Je dois à leur passage un instant de sursis. Il s'agit de trois Discoboles. Leurs armures aux plaques d'acier resplendissent dans la lumière du soleil. Cuivre et cuir tressés retiennent leur chevelure flamboyante. Ils sont superbes et terrifiants tout à la fois. L'apparence féerique de ce cortège attire tous les regards. Ils escortent une jeune femme d'une beauté surnaturelle, vêtue d'une armure courte et légère, qui révèle le galbe de ses membres musclés. Ses cheveux, jadis longs et blonds comme le blé en été, sont maintenant roux et courts comme des herbes en feu. C'est Phélina.

– Phélina ! S'il vous plaît ! Phélina ! À l'aide ! C'est moi, Sasha Kazhdu !

Mon bourreau me frappe le flanc pour me faire taire. Avec un ensemble parfait, les quatre cavaliers s'arrêtent. Les Discoboles restent figés, tandis que Phélina tourne la tête vers mon gibet. La Reine elle-même n'a pas l'air aussi royale.

Elle me fixe froidement de ses yeux verts où jouent l'ombre et la lumière. Pendant un instant, j'ai l'impression qu'elle ne me reconnaît pas. Finalement, ses lèvres de rubis s'entrouvrent. Elle prend un ton moqueur teinté de surprise.

– Sasha Kazhdu ! Mon petit courtisan de Deux-Brumes !

Elle éclate de rire et tout le monde, à part les Discoboles, en fait autant.

– Eh bien, petit garçon, de quoi vous plaignez-vous ? Vous rêviez que je vous passe la corde au cou ! Vous voilà comblé.

Les soldats s'esclaffent de plus belle. Phélina saute de cheval avec l'agilité d'une acrobate. Lorsque ses pieds touchent le sol, le silence se fait immédiatement. Les bustes se courbent sur son passage, tandis qu'elle marche jusqu'à moi d'un pas athlétique et sensuel.

Je remarque le bandage à son épaule, là où la flèche d'un arbalétrier l'avait frappée. Elle ignore que c'est moi qui l'ai sauvée, ce soir-là. Mais le destin serait fort juste si, sans savoir que je le mérite, elle me rendait maintenant la pareille.

Phélina fait un geste autoritaire de la main. Mon bourreau prend l'ordre pour lui, et donne un grand coup de pied dans le tabouret. Aussitôt, le vide se fait sous mes pieds et la corde se tend sèchement, prête à me briser la nuque. Mais au même instant, l'un des Discoboles projette un disque d'acier. Comme un éclair, l'arme tranche la corde et se fiche dans la potence. Je tombe par terre, à moitié étranglé, toussant douloureusement pendant qu'on me détache. Phélina s'impatiente.

– Sasha Kazhdu, vous avez une minute pour justifier qu'on vous laisse en vie.

– Phélina, écoutez-moi…

Le bourreau me soulève par le col, me remet sur pied, et crache dans mon oreille :

– Princesse !

– Princesse Phélina, je n'ai pas pu souffrir qu'on me laisse derrière. Je vous admire et je veux vous servir, vous le savez mieux que personne. Quand j'ai appris que les troupes allaient se battre pour vous et votre époux, j'ai quitté Deux-Brumes pour venir m'enrôler. On m'a vendu un cheval marqué de la couronne, mais je ne suis pas un espion. Je veux combattre et mourir pour votre gloire !

Comme on peut mentir facilement, quand sa propre vie est en jeu ! Phélina me méprise. Néanmoins, mes paroles semblent flatter sa vanité.

– Mon pauvre Sasha Kazhdu. Vous, soldat ? Pourquoi pas chevalier ? On n'apprend pas l'épée au Collegium.

– Qu'on me donne ma chance !

– Eh bien, soit. Vous voulez me servir ? C'est d'accord. Comme guerrier, vous seriez inutile. Par contre, nous manquons terriblement de serviteurs.

Elle se tourne vers le bourreau et donne ses ordres :

– Emmenez ce garçon au quartier des domestiques. Qu'on lui passe une livrée. Nourrissez-le et qu'il commence son service tout de suite.

Phélina retourne à sa monture et se remet en marche avec son escorte. Au coin de ses lèvres, un petit sourire amusé rajoute à mon humiliation.

Je me sens déguisé, dans mon costume de serviteur ! J'ai une jambe rouge, et une jambe à rayures noires et blanches. Mon pourpoint est trop serré à la taille, ses épaules bouffent démesurément. Quant au bonnet cylindrique qui écrase mes cheveux, il me donne l'air d'un champignon coiffé d'un dé à coudre. Mais si Phélina croit m'avoir joué un mauvais tour, elle se trompe. Ces vêtements sont parfaits pour me fondre dans la masse et chercher le livre de musique de l'Archiduc. Du moins, si on me laisse cinq minutes en paix… Depuis qu'on m'a enrôlé, je n'ai fait que laver assiettes, plats, couverts, et passer le balai dans les tentes des officiers. Aïe! On m'appelle pour une nouvelle corvée.

– Eh, toi, le nouveau! Prends ce plateau et porte-le dans la tente des généraux.

– Moi?

– Oui, toi, andouille. Et ne te trompe pas! L'hydromel, c'est pour la princesse Phélina. Le verre de vin, pour l'Archiduc de Motte-Brouillasse.

Mon « supérieur » ricane et prend le troisième verre pour l'approcher de mon nez. Les autres serviteurs se lancent des regards complices.

– Et celui-là, défense d'y goûter, hein? Ou tu recevras du fouet.

– Qu'est-ce que c'est?

– Le régal de ce bon prince Viktar. Moitié sang de lapin, moitié jus de petits poussins que j'ai pressés moi-même!

Je ne lui fais pas le plaisir de réagir. J'emporte le

plateau et pénètre dans la tente blanche, bordée de galons dorés, où s'établit la stratégie de conquête. Au centre, une grande carte de Coronora est étalée sur une table. L'Archiduc l'étudie, vêtu d'une armure rutilante et volumineuse, comme s'il était prêt à donner la charge. Son crâne chauve et son grand nez d'aigle brillent autant que sa cuirasse. Je dépose son verre près de lui.

Debout, en retrait, les bras dignement croisés, le prince Viktar examine également la carte. Il porte une tunique cintrée, tissée de fils d'or et de cuivre. À sa ceinture pendent trois disques de cristal, dont la cicatrice sur ma main témoigne du tranchant. Ses cheveux sombres, qui tombent sur sa nuque, chatoient comme la queue d'une pie. Il prend le verre sur mon plateau, laissant tomber sur moi ses yeux doux et puissants. On a l'impression qu'il vous regarde depuis le sommet d'une montagne.

L'Archiduc s'adresse à lui comme à un égal. Mais on sent bien que le prince Viktar le domine naturellement.

– Prince, je vous préviens, Coronora ne sera pas aussi facile à prendre que les cités de province.

– Prendre la ville, autour du fleuve, n'est pas ce qui m'inquiète. Mais c'est cette île, cœur du royaume, protégée par les eaux. Mes Ratakass, les ponts coupés, ne pourront pas s'y rendre.

– Comment ça ? Les rats ne savent pas nager ?

– Bien sûr que si, cher Archiduc, mais pas avec des armes.

– Évidemment. S'ils nagent jusqu'au château sans emmener leurs fioles de poison et leurs arbalètes, ça ne sert à rien du tout.

Voilà qui est intéressant. L'île de la Cité est protégée naturellement contre la stratégie de l'ennemi. La Reine sera ravie de l'apprendre.

– Valet !

Phélina m'appelle. Installée sur une banquette, elle m'observe avec grand amusement depuis que je suis entré.

– Valet ! Qu'attendez-vous pour me servir ?

J'enrage… Et cela doit se voir à la couleur de mes joues qui sont en feu. Je la laisse prendre son verre et je veux partir. Mais elle me retient.

– C'est très sale ici, valet. Prenez un balai et nettoyez.

Je suis bien obligé d'obéir. La situation l'amuse beaucoup. Heureusement, l'arrivée d'un homme du prince Viktar met fin à cette situation pénible.

Celui-ci n'est pas un guerrier. Il est vêtu d'un tablier de forgeron et porte un long objet dans un étui de tissu. Après avoir salué son maître, il s'approche de Phélina et lui donne ce qu'il apporte.

– *Wiobo wivqi piytiyy cŷvip fa hoiqsa.*

– Merci. *Nasbo, nyôssa eqnoseiq.*

Entendre Phélina parler cette langue étrange me fait froid dans le dos. Elle retire l'arme de sa housse. C'est un bâton de combat qui ressemble beaucoup à celui qu'elle avait à Coronora. Des incrustations dignes d'un orfèvre décorent et renforcent sa ligne. Phélina se lève et le fait tournoyer avec une habileté déconcertante. Puis elle quitte la tente avec empressement. Dehors, nous l'entendons héler des soldats.

– Vous trois ! Non... Vous cinq ! Empoignez vos épées et tuez-moi. C'est un ordre !

L'Archiduc se rapproche de l'entrée pour admirer le spectacle. Moi, je balaye en direction d'une ouverture pour également regarder Phélina qui essaye sa nouvelle arme. Elle est impressionnante ! On croirait qu'une tornade habite ce corps svelte et gracieux. Les cinq soldats combattent du mieux qu'ils peuvent. Mais ils n'ont aucune chance. Phélina joue avec eux comme une panthère avec des souris.

L'Archiduc, pensif, revient vers le prince Viktar.

– Un plongeon dans la potion qui crée les Ratakass, et voici la douce Phélina métamorphosée en déesse de la Guerre. Pourquoi ne pas en faire autant avec mes soldats ? Quant à moi, je donnerais cher pour profiter du même traitement !

Le prince Viktar regarde en coin l'Archiduc excité par l'idée de devenir un surhomme.

– Trop dangereux, d'avoir des chiens, plus puissants que leur maître.

– Sage prudence, en effet. Mais, en ce qui me concerne...

– Dans la potion, l'être plongé, est tué neuf fois sur dix. C'est un hasard, si le destin, épargna Phélina. Êtes-vous tenté ? Êtes-vous chanceux ? Risquerez-vous ce bain ?

– Ah, mais je plaisantais. Je trouve que la nature m'a très bien fait. Inutile de tricher avec des potions.

Le prince Viktar s'incline, une façon de dire « comme vous voudrez », tout en cachant le sourire qui fend son visage. L'Archiduc est embarrassé. Il passe sa pelisse sur ses épaules et déclare :

– Il est temps que je prenne ma leçon de musique. Nous reviendrons à notre carte plus tard, prince.

Puis il se tourne vers moi.

– Toi, là, du balai ! Va chercher du vin, tu serviras à boire pendant que je m'exercerai. Ne lésine pas ! Apporte deux bouteilles. Ça donne soif de souffler dans ce maudit instrument.

Dans cette région de collines, de nombreux moulins à vent se découpent contre le ciel. C'est dans l'un d'entre eux que l'Archiduc de Motte-Brouillasse prend ses cours de musique. Le bâtiment croulant, autour duquel les soldats ont dressé leurs tentes, est abandonné par ses meuniers depuis longtemps. Ses ailes tombées au sol servent de bancs aux hommes qui mangent leur ration autour des feux. Son toit pointu, qui porte encore ses tuiles, lui donne l'air d'une tour de garde plutôt que d'une minoterie[1].

La porte est toujours solide et comporte une serrure neuve. L'Archiduc l'ouvre avec une grosse clef, me laisse entrer portant son vin, et referme derrière nous. Au rez-de-chaussée, l'immense roue de pierre qui moulait le grain est couverte de mousse. Aux angles du plafond sont collés des nids d'hirondelle, où de petits becs affamés réclament en piaillant. Nous montons à l'étage, par un escalier étroit serpentant contre le mur.

La pièce circulaire qui nous accueille est aménagée sommairement. J'y retrouve la silhouette familière du père Geignard, occupé à ranger des partitions sur un pupitre. En voyant entrer son élève, il lève les yeux au ciel et soupire. Il n'a pas l'air de me reconnaître, tant mieux. Je préfère ne pas attirer l'attention.

L'Archiduc enlève sa pelisse et m'ordonne de l'aider à retirer sa cuirasse. Puis le professeur lui tend une flûte en bois clair, garnie d'anneaux d'ivoire.

1. Fabrique de farine.

– Père Geignard, je ne suis pas content. Malgré toutes vos leçons, je ne fais guère de progrès.

Des larmes perlent au coin des yeux du vieux musicien. Sa lèvre inférieure commence à trembler, ce qui annonce des sanglots.

– Qu'y puis-je, Votre Seigneurie ?

– On m'avait dit que vous étiez le meilleur !

– Je le suis. Le meilleur des professeurs, pour le pire des élèves.

– Cessez de pleurnicher, ça m'horripile. Attaquons ! Garçon, verse-moi du vin.

Le père Geignard s'empare d'une flûte. Il en tire trois petites notes qui font venir deux Ratakass, habillés avec élégance, du moins autant que des rats peuvent l'être. La leçon commence, elle ressemble en tout point à celle à laquelle j'ai assisté à Deux-Brumes. L'Archiduc n'a pas beaucoup progressé. Et plus il boit de vin, dont je dois sans arrêt l'abreuver, plus les sons qu'il tire de son instrument sont affreux.

Le père Geignard pousse un soupir désespéré et dit :

– Votre Seigneurie, ne pourrions-nous pas travailler dès aujourd'hui sur le livre qui vous intéresse ? Nous perdons notre temps à rabâcher sans succès ces petites partitions.

– Je vous l'ai dit mille fois, père Geignard ! Les

musiques du livre sont réservées à la guerre. Elles ordonnent aux Ratakass d'attaquer l'ennemi, de telle ou telle manière. Le prince Viktar m'a formellement mis en garde : je ne dois pas les utiliser hors du champ de bataille.

– Alors, Votre Seigneurie, vous avez bien du travail. Car il vous faudra les déchiffrer au premier regard.

– Ah… J'y ai pensé. Si je n'en suis pas capable, vous les jouerez pour moi. Ce sera moins amusant. Mais, en me servant de vous, je pourrai néanmoins commander les Ratakass lors de l'attaque de Coronora.

– Comment ? Mais… Moi ? Sur le champ de bataille ? Mais je suis musicien ! *Sniff…* Je ne suis pas soldat ! *Sniff…*

– Ne recommencez pas à chialer, Geignard ! Vous ne voulez pas participer à la guerre ? Alors, dépêchez-vous de m'apprendre la musique.

Je connais le père Geignard. Quand il commence à pleurer, il ne s'arrête pas sur commande. L'Archiduc s'efforce de le consoler, de le rassurer, avec beaucoup d'impatience et peu de compassion.

J'en profite pour dériver discrètement vers un endroit de la pièce où se dresse un paravent. Un coup d'œil derrière confirme ce que je pensais, le livre de musique que je cherche y est caché. Comment m'en emparer ? Une solide chaîne cadenassée passe dans sa reliure, attachée à un anneau d'acier enfoncé dans le mur. L'idée d'en arracher les pages pour les emporter m'effleure. Mais le livre est maintenu fermé par une sangle de gros cuir dont la boucle comporte une serrure. Autant de problèmes qui seraient résolus, si seulement j'avais mon croque-serrures !

Je me glisse derrière le paravent et, saisissant l'anneau à deux mains, j'essaie d'arracher le piton qui le retient dans la pierre. Soudain, je pousse un cri de douleur. On vient de me mordre la fesse ! C'est l'un des Ratakass qui a grimpé le long de ma jambe. Son compagnon, qui se trouve à mes pieds, se met à pousser des cris d'alarme. Je recule, faisant tomber le paravent. Le livre chute du pupitre où il repose et se retrouve dans mes bras.

– Qu'est-ce que tu farfouilles là, maraud ?

– Moi ? Rien, Votre Seigneurie. Je… Je cherche un balai ! C'est poussiéreux, ici.

– Je vais t'en ficher de la poussière, moi. Lâche ce livre ! Espion ! Vermine ! Voleur ! Traître !

L'Archiduc dégaine sa grande épée et fonce sur moi. Dans un réflexe, j'esquive prestement le coup qu'il me porte. J'attrape la chaîne qui emprisonne le livre et l'enroule autour de la lame de l'épée. Je serre, donne un coup sec, désarmant l'Archiduc qui recule avec surprise.

– Tu n'es pas un vrai domestique. Tu te bats comme un lion !

Le père Geignard plisse les yeux pour mieux me voir et en rajoute une couche :

– Je le reconnais ! Il s'est battu contre les Discoboles au Collegium ! Il est dangereux !

– Un ennemi ! Alerte ! Soldats ! Aidez-moi !

L'Archiduc se précipite dans l'escalier et je l'entends déverrouiller la porte. Les fenêtres sont étroites comme des meurtrières. Aucune sortie possible ! J'empoigne le père Geignard et le secoue, furieux :

– Bravo ! Merci pour votre soutien, idiot ! Je suis de votre côté !

– Mais, je ne sais même pas de quel côté je suis. Lâchez-moi !

Les uns derrière les autres, parce que l'escalier est étroit, une douzaine de soldats déboulent dans la pièce. L'Archiduc arrive en dernier.

– Lâchez cet homme et rendez-vous !

– Mais je ne lui voulais aucun mal…

On me saisit, on m'écrase entre deux épaules d'acier, puis, à moitié assommé, je suis traîné dehors. L'un des soldats s'adresse à l'Archiduc qui veut retourner à ses leçons.

– On en fait quoi, Vot' Seigneurie ?

– Débarrassez-vous-en. Immédiatement !

Près de l'entrée du moulin se trouve un vieux puits, dont la margelle rongée par le temps est couverte de lierre. Les hommes qui me tiennent s'arrêtent au bord et demandent à l'Archiduc :

– On peut ?

– Très bonne idée.

L'Archiduc disparaît dans le moulin et s'y enferme. Trois paires de bras me soulèvent et, avant que j'aie pu protester, les soldats me jettent dans le puits. En criant, je tombe comme une pierre dans ce tunnel obscur qui m'engloutit.

XI

L'Archiduc archidupe

Sur les épaules de l'Archiduc tombe un manteau d'hermine. Sa tête s'encastre dans une couronne resplendissante, aux pointes en forme de cœur. Il ouvre les bras et sourit avec bonté, nous invitant à avancer vers lui. Phélina est émue, moi aussi. Elle serre plus fort ma main et nous marchons vers l'estrade. Un tapis de fleurs blanches accueille nos pieds nus. De chaque côté, la foule innombrable qui nous regarde passer s'étend jusqu'à l'horizon. J'y aperçois Cagouille et Sibylle. Kirk, le faucon, se dresse sur le poing de la jeune fille. Cagouille est coiffé du chapeau de M. Crapoussin. Il me crie quelque chose que je n'entends pas.

Nous nous arrêtons aux pieds de l'Archiduc et je m'incline respectueusement. Phélina en fait autant. Lorsque nous nous relevons, l'Archiduc a disparu. À sa place se trouve le prince Viktar, vêtu du sombre habit que portent les prêtres. Il nous toise sévèrement.

Un disque de cristal, suspendu derrière sa silhouette, lui fait une auréole. Il joint les mains et regarde le ciel. À chaque syllabe qu'il prononce, sa voix puissante devient plus grave, jusqu'à se distordre :
– Phélina de Belorgueil, voulez-vous prendre pour époux Sasha Kazhdu ?
– Oui, je le veux.
– Chat Noir, voulez-vous prendre pour épouse ce Ratakass ?
Je tourne la tête et la terreur fait trébucher mon cœur. C'est un Ratakass, aussi grand qu'un humain, qui me tient par la main. Devant mon visage, il ouvre sa gueule géante sur une forêt de crocs pointus, et pousse un hurlement épouvantable qui m'arrache à l'inconscience.

Le puits est à sec. Mais le fond est suffisamment boueux pour avoir amorti ma chute. Mon réveil est pénible. Je tâte les parois qui m'entourent, moussues et visqueuses. J'ai dû rester évanoui pendant longtemps. Loin au-dessus, au bout de ce tunnel vertical qui m'emprisonne, l'ouverture par laquelle on m'a jeté forme un disque où scintillent les étoiles. Mes efforts pour y grimper sont rapidement découragés. Oh, avec mes gants-griffes, ce serait un jeu d'enfant ! Mais à mains nues, la pierre suintante glisse comme du savon.

L'espace est étroit. Le craquement d'os sous mes pieds me fait frémir. Visiblement, je ne suis pas la première créature tombée dans ce piège mortel. Je tente encore l'ascension, le dos appuyé contre un côté de la paroi et poussant des pieds contre l'autre. À mi-hauteur, je dérape et retombe brutalement. Quelle affreuse prison ! Quel horrible tombeau !

Là-haut, on se moque bien de mon sort. On me croit probablement mort. J'entends des rires, des éclats de voix joyeux, et même de la musique. L'armée de l'Archiduc se détend, avant la dernière bataille de leur conquête.

– Sasha ! Tu es là ? Sasha, réponds ! Tu m'entends ?

Une voix féminine, au sommet du puits ! Elle résonne comme dans un rêve dans le conduit tubulaire. Est-ce Phélina ? Elle a peut-être eu pitié de moi…

– Je suis là ! Tout au fond ! Je ne peux pas sortir !

– Ça, je m'en serais doutée. Attrape !

Je ne distingue qu'une vague silhouette se découpant contre le ciel nocturne. Elle se penche, je m'attends à recevoir l'extrémité d'une corde. Au lieu de cela, c'est un paquet volumineux qui me tombe sur la tête, m'assommant presque. Je m'étale encore une fois sur le sol boueux.

Là-haut, des voix masculines se rapprochent et ma visiteuse disparaît. Je dénoue fébrilement la ficelle et déplie la toile enroulée. Elle contient ma veste noire à capuchon, mes gants-griffes, mon croque-serrures, mon bâillon-autorité, et même les torches-bâtonnets que je n'ai pas encore brûlées. C'était donc Sibylle, venue à mon secours ! Je pousse un cri de victoire qui doit s'entendre jusqu'à Deux-Brumes. Des soldats qui passaient se penchent sur l'ouverture et l'un dit :

– Pauvre gars, tout de même. Quel horrible cri d'agonie.

Mes griffes mordent la pierre. En une minute j'échappe à ma prison. Qu'il est bon d'être à nouveau Chat Noir ! Sans perdre un instant, je rampe jusqu'au moulin à vent qui se trouve à deux pas. Il n'y a presque personne dans ce secteur du campement. Tout le monde semble être rassemblé plus loin, en un point d'où s'échappent régulièrement des acclamations.

Quelques patrouilles circulent, mais je n'ai aucun mal à leur échapper en restant tapi dans l'ombre. Dès que le champ est libre, j'escalade le moulin et monte me percher sur son toit. De ce point culminant, j'ai vue sur le campement tout entier.

Je suis aussitôt frappé par la vision fantastique des stries lumineuses qui s'étalent dans la nuit. Comme une toile d'araignée couverte de poussière d'étoiles,

les Sillons du Diable rayonnent autour du campement de l'armée félonne. De jour, je m'étais demandé où se trouvaient les Ratakass du prince Viktar. Ils étaient là, tout près, invisibles sous le soleil, dans leurs tunnels affleurant à la surface du sol.

Non loin d'où je me trouve, un spectacle d'un tout autre genre ajoute une touche fantaisiste au sévère camp militaire. Il s'agit de la roulotte de M. Crapoussin, dont la petite scène dépliée est éclairée par des lampions. Un public attentif se masse tout autour, s'amusant des prouesses comiques de Cagouille, tandis que Sibylle tire de jolies notes d'un psaltérion[1].

Ah, mes précieux amis! Je leur dois la vie! Mais avant d'aller leur exprimer ma gratitude, j'ai une mission à remplir.

Mon croque-serrures ouvre facilement la porte du moulin. J'entre et verrouille derrière moi. Le père Geignard doit être seul. Sa voix mélodieuse, provenant de l'étage, chante une complainte qu'il accompagne au luth. Tout en montant l'escalier, à pas de loup, je m'interroge. Puis-je lui faire confiance ou dois-je le traiter en ennemi?

---

1. Instrument de musique qu'on pose sur les cuisses et dont les cordes sont frappées avec deux baguettes ou pincées.

Installé sur un tabouret, il me tourne le dos et ne me voit pas approcher. Une calotte de la même soie que sa robe couvre sa tonsure. L'Archiduc l'a habillé à grands frais. Un collier de perles à son cou est assorti aux larmes qui pendent à ses oreilles.

– L'ARCHIDUC VOUS SOIGNE BIEN, POUR UN PRISONNIER.

Une fausse note met fin au concert. Il se retourne et, sidéré, prend une grande inspiration qui fait un bruit de soufflet.

– Chat Noir ! Ici ?

– GEIGNARD, QUI ÊTES-VOUS PRÊT À TRA-HIR ? L'ARCHIDUC, OU LA REINE ?

– Trahir ? Moi ? Mais… Personne ! Tout le monde ! Je ne sais pas ! Qu'allez-vous me faire ? Au secours ! Soldats ! Au chat ! Au chat !

Ça me désole, parce qu'il m'est sympathique, mais je ne peux pas compter sur son aide. Le père Gei-gnard est trop lâche. Je fais surgir mes griffes et il ferme aussitôt son bec. Il ne se débat même pas tan-dis que je le bâillonne et le ligote sur sa chaise. Ça me fend le cœur de l'entendre pleurnicher.

Le livre de musique de l'Archiduc est toujours der-rière le paravent. En deux tours de croque-serrures, je le libère de sa chaîne. Sa reliure de cuir porte des gravures faites à la pointe rougie. Elles représentent deux Ratakass qui tiennent un emblème : le poisson à deux têtes des armoiries des Motte-Brouillasse. Enfin, je le tiens! Le livre de commandement! Ne reste plus qu'à le ramener à Coronora...

Mon précieux butin sous le bras, je reste caché sous un chariot en attendant que le spectacle de Cagouille et Sibylle se termine. Quand ils ont rangé les accessoires et replié la scène, je m'approche en suivant un chemin d'ombres. Je fais crisser mes griffes contre le carreau et Cagouille s'empresse de me laisser entrer. Il me regarde et grimace.

– T'es *dégroûtant*! Tu t'es roulé a'c les cochons?

– NON, DANS LA BOUE AU FOND D'UN PUITS. MERCI, MES AMIS. SANS VOUS, J'Y SERAIS ENCORE, ET POUR L'ÉTERNITÉ.

– *Barf!* Tu croyais pô qu'on allait t'laisser tout seul, a'c ton plan qui valait pas un pet d'lapin.

Sibylle me met entre les griffes une tasse fumante.

– Cagouille a attelé le cheval à la roulotte juste après ton départ. Nous sommes partis derrière toi.

– *Ouaille*, et on s'est amenés ici sous *prétesque* de *divertisser* les troupes. En arrivant, tout le monde parlait d'un z'espion qu'avait été balancé dans un puits à sec. Ça pouvait être que *toille*... avec ton plan *d'Eugénie*.

Je rends sa tasse à Sibylle et leur montre le livre, enfermé dans un petit sac à farine trouvé au moulin.

La corde qui ferme l'ouverture me permet de le porter en bandoulière.

– LA DISPARITION DU LIVRE PEUT ÊTRE DÉCOUVERTE D'UN INSTANT À L'AUTRE. PARTEZ VITE, AVANT QUE L'ALERTE NE SOIT DONNÉE.

– T'as raison, Sashouille. Je prépare le cheval et on s'en *vaille*.

Sibylle, les poings sur les hanches, proteste.

– Je ne repars pas sans Miranda ! On ne la laissera pas à ces brutes !

– ENFIN, SIBYLLE, COMMENT LA RETROUVER PARMI LES CENTAINES D'AUTRES CHEVAUX ?

– Je sais où elle est. En arrivant, je l'ai cherchée pendant une heure à travers tout le campement. Je l'ai appelée, elle m'a répondu. Alors, je vais la récupérer, et ensuite on pourra partir.

– Nan, ma Sibylle. Trop dangereux, la nuit, un nid d'*soldasses*. J'y va moi-même.

– TRÈS BIEN. D'AILLEURS, JE VIENS D'AVOIR UNE IDÉE, ET MIRANDA A SON RÔLE À Y JOUER. SI TOUT VA BIEN, DANS DEUX JOURS, NOUS CÉLÉBRERONS NOS RETROUVAILLES À CORONORA.

– Et si tout va mal… Y a assez d'place pour trois, au fond du puits ?

– FAITES-MOI CONFIANCE, ET ÉCOUTEZ MON PLAN.

Cagouille et Sibylle approuvent ma stratégie. De toute façon, nous ne pouvons plus reculer. Car, à peine ai-je fini de leur exposer mon idée que des cris d'alarme résonnent dans le camp. Je n'avais pas serré très fort les liens du père Geignard, pour ne pas blesser ses poignets d'artiste. Il a dû se libérer et donner l'alerte.

Nous nous mettons tous les trois en action. Sibylle attelle le cheval blanc et s'installe sur le banc du conducteur, prête à donner le départ. Moi, je me glisse sous la roulotte, où je me suspends par les griffes, sous le plancher, les pieds coincés entre les chevrons qui tiennent le moyeu des roues. Le livre dans son sac est posé sur mon ventre. Il est assez lourd et rend ma respiration difficile.

Cagouille se hâte d'aller chercher Miranda. Dans l'agitation générale, personne ne s'inquiète de le voir revenir avec la jument. Il l'attelle à côté du cheval de M. Crapoussin et s'assied avec Sibylle. Les rênes claquent et le véhicule se met en branle.

Nous traversons le dédale de tentes. Nombre de soldats sont réveillés par les trompettes qui sonnent l'alarme. De ma place, je ne vois que des bottes et des sabots. Mais j'entends des ordres se transmettre, où l'on prononce les mots de « Chat Noir » et de « livre de l'Archiduc ». C'est seulement au moment de franchir la limite du campement que l'on nous arrête.

– Eh, la roulotte ! Faut pas partir maintenant ! On recherche...

– ... CE LIVRE ? C'EST CE QUE VOUS CHER-CHEZ ?

– Attrapez-le !

Sans me faire voir, je me suis laissé glisser à l'écart de la roulotte. Grimpé sur une pile de caisses, un peu plus loin, je brandis le livre, l'exhibant devant les soldats ahuris. D'une voix lasse et indifférente, Cagouille demande :

– Bon, alors, nous, on peut y aller ?

Les militaires ne s'occupent plus de lui. Sibylle fait claquer sa langue et la roulotte se remet en marche. Quelques toises plus loin, les chevaux prennent un pas plus rapide et l'équipage disparaît dans la nuit.

Pendant ce temps, j'enchaîne les sauts périlleux et les roulades pour esquiver les flèches qui fusent vers moi. Le livre m'encombre. Mais il sert également de bouclier et reçoit deux carreaux qui se destinaient à mon ventre.

Mes acrobaties me rapprochent d'une grosse torche dont je m'empare. Je place le livre dans la flamme, au moment même où l'Archiduc et sa garde arrivent sur les lieux.

– Chat Noir ! Sale vermine ! Rends-moi ça, que je

t'écorche! Que je te pende! Que je coupe en morceaux ta carcasse putride pour la jeter à mes chiens! Je laisse un coin du livre prendre feu et l'Archiduc s'affole. Il ordonne à ses hommes de rester en arrière et change de ton.

– Arrête! Ne le brûle pas! Écoute... Je me suis emporté. Parlementons!

J'étouffe le feu contre le sol. Le livre, dont un petit bout seulement est détruit, dégage une fumée épaisse et malodorante. Je le maintiens à deux doigts de la flamme, car une rangée d'arbalètes est pointée sur moi. L'Archiduc s'énerve. Pieds nus, sa cuirasse mal sanglée sur une chemise de nuit, il est plutôt grotesque.

– Que veux-tu? Parle!

– LAISSEZ-MOI PARTIR, ET JE VOUS DONNE CE LIVRE.

– C'est tout?

– C'EST TOUT. JE VAIS RECULER, EN TENANT LE LIVRE AU-DESSUS DE LA FLAMME. IL EST DÉJÀ BIEN CHAUD. SI L'ON ME TUE ET QUE JE TOMBE, IL PRENDRA FEU AUSSITÔT.

– Pas sûr...

– VOULEZ-VOUS PRENDRE LE RISQUE?

L'Archiduc se mord la lèvre et ne répond pas.

– QUAND JE SERAI ASSEZ LOIN, VOUS ENVERREZ UN HOMME DÉSARMÉ POUR LE

PRENDRE. JE PARTIRAI PENDANT QU'IL VOUS LE RAPPORTERA.

L'Archiduc réfléchit. Il cherche l'entourloupe, mais ne la trouve pas.

– C'est d'accord. Jouons ton jeu. Mais ne fais pas plus de trente pas en arrière, ou je prends le risque de t'abattre. Tant que tu tiens le livre, reste à portée d'arbalète.

– UNE FOIS LE LIVRE ENTRE LES MAINS DE CELUI QUI VIENDRA LE CHERCHER, VOUS ME LAISSEREZ PARTIR EN PAIX. JE VEUX VOTRE PAROLE D'HONNEUR !

L'Archiduc hésite, rechigne… Alors, je fais naître quelques flammes au bas de la reliure.

– Arrête ! C'est d'accord. Je t'étriperai une autre fois. Tu as ma parole d'honneur, espèce de chien galeux !

– PLUTÔT DE CHAT GALEUX, JE VOUS PRIE.

L'Archiduc crache au sol avec haine. Je commence à m'éloigner à reculons, en comptant mes pas. Lorsque j'en ai fait trente, la torche dans une main et le livre entre les griffes de l'autre, je m'arrête. L'Archiduc aboie un ordre et un soldat, sans son épée, vient me rejoindre. Je lui donne le précieux volume qu'il élève à bout de bras pour le montrer à son maître.

Moi, j'ai déjà laissé tomber la torche et je m'enfuis

en courant dans la nuit. Je sais que l'Archiduc tiendra parole et ne me fera pas poursuivre, du moins pendant quelques instants. Le temps que son soldat lui rapporte le livre de recettes de cuisine que j'ai pris à Cagouille.

Mes deux amis doivent être déjà bien loin. Dans la roulotte, ils emportent le véritable livre de musique de l'Archiduc. S'ils ont suivi le plan à la lettre, ils se sont arrêtés en chemin pour dételer Miranda, et la cacher dans une clairière près d'une mare que j'avais repérée.

L'endroit où la jument m'attend n'est pas tout près. Aussi, je presse le pas. D'autant plus que je traverse la zone où s'étendent les Sillons du Diable. J'enjambe les traces lumineuses d'un pas aussi léger que possible, frémissant à l'idée que sous mes pieds grouillent des Ratakass armés de leur poison luminescent.

Jusqu'à présent, la nuit était claire. Mais le vent décide de se lever, poussant dans le lointain des nuages qui grignotent le firmament. Il apporte aussi une mélodie jouée sur une flûte, distante, provenant du campement militaire. Mon cœur se met à battre comme un tambour ! Sans aucun doute, le prince Viktar a lancé ses Ratakass sur ma piste.

Heureusement, je viens de franchir les limites de leur réseau souterrain. Mais je ne suis pas sauvé pour autant! Un coup d'œil en arrière me révèle qu'une horde de petites silhouettes illuminées se rue dans ma direction. Plus elles approchent, plus leur nombre grandit, formant un tapis lumineux qui s'étend vers moi.

Je me mets à courir à toutes jambes vers la mare maintenant toute proche. L'obscurité n'est pas mon alliée, car les rats savent se fier à leur odorat. Je bute plus d'une fois sur des pierres ou des racines qui m'envoient rouler au sol. Je suis fait pour la course sur les toits, pas en rase campagne!

La marée lumineuse qui déferle vers moi est si proche que le piétinement de la multitude de pattes ressemble à un grondement. Enfin, voici la mare, et voici Miranda! Je détache la longe qui la retient à un tronc d'arbre, je saute en selle et nous partons au grand galop. Il était temps! De petites flèches lumineuses me frôlent et disparaissent comme des étoiles filantes. En quelques secondes, nous sommes hors de danger. Aucun rat au monde ne peut rattraper une jument qui rentre à l'écurie.

Lorsque nous sommes suffisamment loin, que seuls les chouettes et les renards croisent notre route, je retire mes gants-griffes. Puis j'enroule mon équipement dans ma veste qui se transforme en balluchon. Nous ne sommes plus qu'un simple voyageur et sa monture, pressés de rejoindre les remparts de Coronora.

XII

Le jambon héroïque

– Je ne veux pas te voir avec ce va-nu-pieds !

– Enfin, maman…

– Dis-moi que c'est un cauchemar ! Ma fille amoureuse d'un saltimbanque ? D'un grossier manant, sorti de je ne sais où ! Sibylle, es-tu devenue folle ? Mais oui… C'est ça ! Ma fille est folle !

– Maman, arrête. Pas ici. Tais-toi, je t'en prie.

– Et elle me dit de me taire ! Vous entendez ? À sa propre mère, elle dit de se taire ! Ma fille a honte de moi !

Nous sommes à la cour. Comme tous les matins, les notables attendent que la Reine et le Chancelier tiennent conseil. La mère de Sibylle, quelques rangs plus loin, nous fustige du regard. Elle a toutes les apparences d'une grande dame, mais ses éclats de voix trahissent son origine populaire. Je n'ai jamais vu Cagouille aussi embarrassé. Il essaie de disparaître derrière moi, ce qui, vu sa stature, est parfaitement impossible.

– Sibylle, tu sais ce qui t'attend. Tu seras la femme d'un chevalier, un point c'est tout. Sois raisonnable ! Toutes les jeunes filles rêvent d'un chevalier ! Et puis, je ne t'impose personne. Tu as le choix, ce ne sont pas les beaux et valeureux guerriers qui manquent. Alors, quand je te vois faire des yeux de biche à ce... cet Escarbouille !

– Cagouille, maman. Il s'appelle Cagouille !

– Silence ! Je ne veux pas entendre son nom.

– Mais, maman...

– Suffit. Tu épouseras un chevalier, ou tu n'épouseras personne.

À côté de l'estrade, deux hérauts chargés des annonces font tournoyer leurs longues trompettes. Ils sonnent en harmonie, puis se mettent au garde-à-vous. La Reine fait son entrée et s'installe. Le Chancelier la suit, il se place près d'elle.

Quand les révérences sont terminées, Sibylle s'approche respectueusement du trône. Elle tient sous son bras le livre qu'elle et Cagouille ont rapporté dans la roulotte.

– Votre Majesté, j'ai là un objet à vous donner.

– Vos joues brillent. Pourquoi ces larmes, ma filleule ?

– Ma mère n'apprécie pas… mes amis. Elle voudrait me marier à une armure.

– Encore son idée fixe du gendre chevalier ? Que n'en a-t-elle épousé un, si elle rêve d'avoir du fer dans la penderie.

Elle rit, l'assistance aussi, et la mère de Sibylle se fait toute petite. Le Chancelier se racle la gorge, rappelant l'assemblée à des questions plus graves. La Reine redevient sérieuse.

– Qu'apportez-vous, ma petite. Ce livre ? Donnez-le au Chancelier.

– Bien, Votre Majesté. Avec les compliments de Chat Noir, qui l'a dérobé au péril de sa vie, au cœur des troupes ennemies.

Le Chancelier découvre les armoiries de l'Archiduc et les deux Ratakass gravés sur la couverture. Il pousse une exclamation digne de Cagouille, qui fait sursauter la Reine. Il ouvre le volume et lit quelques titres au hasard.

– *Air pour faire attaquer les Ratakass. Mélodie ordonnant la retraite sous terre. Musique pour faire tirer des flèches sur l'ennemi.* De quelle sorcellerie s'agit-il ?

L'assistance est sidérée. La Reine aussi, au point de quitter son trône pour venir examiner le livre avec le Chancelier. Sibylle leur explique ce que j'ai découvert, que l'on commande les Ratakass en leur jouant des airs de musique.

– Ce livre a été offert à l'Archiduc par le prince Viktar, conclut-elle. Le félon espère commander les Ratakass lors de l'attaque de Coronora.

Une rumeur agitée parcourt le public. Le Chancelier bombe le torse et déclare, avec enthousiasme :

– Or donc, point de magie. Ces Ratakass ne sont que des animaux dressés. Et ces partitions... Ce livre ! Il peut sauver Coronora. Que dis-je, il peut nous permettre de reprendre le royaume !

Des acclamations enthousiastes emplissent la salle. Certains jettent leurs chapeaux, d'autres entonnent des chants patriotiques. Cagouille me tape entre les épaules, et se met à crier cette phrase que tout le monde reprend en chœur :

– Vive Chat Noir !

En regagnant la roulotte, près de l'écurie, j'éprouve une certaine fierté. Ah, si Bathilde et mon père pouvaient me voir !

Dans les rues de Coronora, on arrache les avis de recherche qui mettaient ma tête à prix. L'espoir est revenu dans la cité. Le livre de musique va permettre aux forces de la Reine de commander aux Ratakass. Non seulement de les stopper dans leur attaque, mais aussi de les retourner contre nos assaillants !

Ah, j'ai hâte de voir détaler l'Archiduc et le prince Viktar, cherchant à échapper à leur propre arme secrète.

Ces dernières aventures m'ont épuisé. Avec la satisfaction du devoir accompli, je m'assoupis sur un nid de coussins, au fond de la roulotte. Dans mes rêves, je vois Phélina, vaincue, le regard plein de remords. La Reine bienveillante lui rend la liberté et me confie sa surveillance. Nous partons à cheval vers Deux-Brumes, ses bras sont serrés autour de ma taille, sa tête appuyée contre mon dos... Quand soudain, la porte de la roulotte claque et me réveille en sursaut.

Dehors, il fait noir. Le château est assoupi. J'ai dû dormir depuis midi jusqu'au milieu de la nuit. Cagouille allume une lanterne et alimente le poêle. Il n'a pas l'air joyeux.

– J't'ai réveillé, Sashouille ?

– Pas grave. Tu en fais une tête, dis donc.

– Bah, j'suis *malancolique*. Sibylle aussi, elle a *pleurnichié* toute la soirée. C't à cause de sa mère. T'as vu la scène, tout à l'heure.

Je remets mes chaussures, puis je m'étire en bâillant. Cagouille me tend une tasse de lait et boit le reste à la cruche, ce qui lui dessine une moustache blanche lui donnant l'air d'un gros matou borgne.

– Que puis-je faire pour te remonter le moral ?

– Rien du *trou*. *Mercille* quand même.

Il prend un air triste et pensif, puis tout à coup s'illumine.

– Ah, si! Y a une chose que tu peux m'faire plaisir!

– Oui?

– Prends ton machin, là, ton *crotte-serrures*, et *viende* avec *moille*. Tu veux bien?

– Je veux bien, mais pour aller où?

– À la chasse au trésor, mon vieux!

Sibylle a grandi au château et en connaît tous les recoins. J'apprends qu'elle a partagé avec Cagouille certains de ses secrets. Avec des airs de conspirateur, il m'entraîne derrière la chapelle et me demande de faire le guet. Sous les vitraux, plusieurs niches abritent des statues. Cagouille en choisit deux, tourne la tête de la première, puis abaisse le bras de la seconde. Ensuite, il tire une sorte de piton enfoncé dans la pierre. Un déclic se fait entendre, puis il se met à pousser sur le mur. La paroi pivote en grinçant, ouvrant un passage où il s'engouffre.

– Grouille, ça va s'refermer.

J'entre derrière lui. La porte dérobée se remet aussitôt en place. Je n'ai pas mes torches-bâtonnets, mais Cagouille a prévu une bougie.

– Fais pas d'bruit ou on va se faire choper.

Nous descendons un couloir poussiéreux peuplé d'araignées. À plusieurs embranchements, Cagouille choisit sans hésiter la direction à suivre. Puis nous remontons un escalier qui aboutit à une porte.

– Tu sembles bien connaître le chemin !

– Ouaille, j'y *viende* des fois quand j'ai un creux. On est dans le château, maintenant. Alors, d'la discrétion, hein ?

Cagouille pousse la porte qui, de l'autre côté, est camouflée par un mur garni de crochets où pendent des torchons.

– Mais, ce sont les cuisines ! Où est-il, ton trésor ?

– Là-bas, *viende*.

Les fourneaux sont tièdes. Tout est nettoyé, tout est rangé. De bonnes odeurs de sauce au vin et de pâtisserie traînent dans l'atmosphère. Cagouille allume des lumières. Casseroles de cuivre et carafes en cristal se mettent à chatoyer. Je n'ai jamais vu de cuisine si spacieuse, si propre, et si bien équipée.

– Dis donc, ça n'est pas un délit que de chaparder dans la cuisine royale ?

– Penses-tu ! Suffit d'pas se faire prendre. Eh pis, y a pas grand-chose à piquer. Des bouts d'pain, quelques bricoles qui traînent. Trois fois rien.

Cagouille m'entraîne vers une partie de la pièce masquée par un rideau. Il le fait coulisser. Derrière se trouve un large garde-manger grillagé, protégé par un solide verrou.

– *Voilàille*, tout est là ! Tout est sous clef !

– C'est ton fameux trésor ?

– 'bsolument. Ah ! C'que j'ai pu venir rêver devant tout ça. Regarde ! Gigot ! Chapon ! Champignons ! Tartes ! Charcutailles ! Crèmes ! Confitures !

– Ils ont dû poser cette serrure en apprenant que tu arrivais en ville.

– C'est malin. Vas-y, ouvre !

À quoi bon argumenter ? Je déverrouille le garde-manger et Cagouille se jette dessus. On croirait qu'il est à jeun depuis Deux-Brumes ! Personnellement, l'idée de toucher à la nourriture de la Reine me fait l'effet d'un sacrilège. Je le laisse bâfrer et file monter la garde à la véritable entrée, celle qui donne dans les couloirs du château.

Une petite musique se fait entendre, à peine audible. D'abord, j'ai l'impression qu'il s'agit d'une harpe, quelque part dans le bâtiment. Mais, en tendant l'oreille, il me semble qu'elle vient plutôt de la cuisine où nous sommes.

– Cagouille. Oh, Cagouille ! Viens un peu par ici. Tu n'entends pas quelque chose ?

Mon copain me rejoint, empoignant un jambon par son os, et brandissant dans l'autre main le plus gros saucisson que j'aie jamais vu.

– J'entends rien…

– Cesse de mâcher un instant et écoute.

– Purin, t'as raison, y a comme une musique miniature.

Suivant la piste à l'oreille, je découvre un sac, entassé avec d'autres, d'où proviennent les notes cristallines. Celui-ci a un trou sur le flanc, comme en font les rongeurs qui s'attaquent aux réserves.

– Purin ! Des rats ?

– Oui, mais ceux-là n'ont pas percé le sac pour voler la nourriture. Ils devaient être à l'intérieur et l'ont déchiré pour en sortir.

– T'as raison, y a des traces de pattes qui s'éloignent.

J'y plonge la main, fouillant dans la farine d'épeautre qu'il contient. J'en sors une petite boîte. Son couvercle s'ouvre d'un coup de pouce. À l'intérieur, tout un mécanisme de rouages, de ressorts et de lamelles produit une mélodie qui se répète en boucle. J'examine le système et pousse un sifflement admiratif.

– C'est juste une boîte à musique, Sashouille.

– Oui, mais elle n'est pas ordinaire. J'ai déjà vu mon père construire ce genre de mécanisme. Tu vois ces ressorts ? On les remonte avec une clef, et ils mettent un certain temps à se détendre. Après ce délai, l'appareil se met en marche.

– Tu veux dire… C'est une boîte à musique à *retardation* ?

– Exactement ! Il y avait des Ratakass dans ce sac. La boîte à musique a été conçue pour se déclencher à retardement, et leur donner l'ordre d'agir dans la nuit.

– Où qu'y peuvent être, maintenant ?

– Il faut le découvrir ! Laisse tomber ta charcuterie et suivons-les.

Cagouille, ne lâchant ni son saucisson ni son jambon, examine les traces de pattes enfarinées.

– J'dirais qu'y sont deux *Ratachiass*, pas plus. Regarde ! Ils sont sortis dans le couloir.

La piste mène jusqu'aux trous d'aération du bas de la porte. Mon croque-serrures nous ouvre la voie et nous pénétrons dans le corridor. Les traces de farine disparaissent peu après. Mais les ravages provoqués par les Ratakass nous montrent le chemin à suivre.

Tout au long des couloirs et des escaliers, nous découvrons des individus statufiés, figés dans leurs dernières activités. Il s'agit de gardes et de serviteurs qui travaillent la nuit. Certains tiennent debout, en équilibre, d'autres sont tombés au sol, le regard fixe, la main crispée sur une hallebarde ou un balai. À chacun d'entre eux, je retire la flèche empoisonnée qu'ils ont reçue dans la fesse ou la cuisse.

– On croirait des *statutes* ! Purin… Tu crois qu'ils sont morts ?

– Non, ils sont paralysés mais tout à fait conscients. Crois-moi, j'ai expérimenté le phénomène.

La piste nous conduit dans les étages du donjon. Tous ces êtres figés donnent l'impression de traverser un château de conte de fées, en proie à un maléfice. Cagouille n'en revient pas. Mais il n'en a pas lâché pour autant ses morceaux de charcuterie.

– Sashouille ! Là, ça s'rait pas…

– … la chambre de la Reine !

La porte monumentale est décorée des armoiries royales en relief doré. Elle est flanquée d'un gardien colossal, presque un géant. Comme les autres, le pauvre homme est pétrifié.

Des morceaux de verre crissent sous nos pieds. Cagouille m'indique le sommet de la porte où des vitraux sont brisés.

– Les sales bestioles ! Z'ont grimpé en haut de la porte pour entrer par le carreau !

Nous tentons de la pousser, mais elle est fermée à clef. Cagouille frappe avec son jambon contre le battant. La voix alarmée de la Reine nous répond.

– Que se passe-t-il ? Nos ennemis passent à l'attaque ?

– Vot' Majesté ! Bougez pas d'un poil ! Restez où s'que vous êtes !

Mon croque-serrures entre en action et je me pré-cipite dans la chambre. Mais à peine ai-je franchi le seuil qu'une petite flèche lumineuse vient se planter dans mon bras ! En un instant, mes muscles se rai-dissent, mon corps tout entier devient pierre. Je tombe en arrière, figé, et me retrouve appuyé contre le chambranle, tel un mannequin négligemment abandonné. Les yeux grands ouverts, j'assiste au spectacle le plus extraordinaire que Cagouille ait jamais donné.

La Reine, majestueuse, bien qu'en chemise de nuit, s'est dressée sur son lit. Elle s'abrite tant bien que mal derrière une colonne du baldaquin. Cagouille, héroïque, s'interpose entre la souveraine et les deux petits intrus. Celui qui m'a paralysé est occupé à recharger son arbalète miniature. Mon valeureux ami ne lui en laisse pas le temps ! D'un grand coup de saucisson, il le frappe et l'envoie valdinguer comme une balle. Le rat pousse un cri en traversant la fenêtre, puis disparaît dans le vide.

La fiole du second Ratakass ne contient pas la mixture luminescente habituelle. Au lieu du poison paralysant, il s'y trouve un liquide sombre, rouge comme du sang malade. Le maudit animal tire vers la Reine une flèche à la pointe enduite de ce produit malsain. Cagouille, poussant un juron terrible, se jette en travers et intercepte le projectile avec son jambon. Aussitôt, la viande devient noirâtre. Un cercle de pourriture s'étend autour du carreau planté dans la couenne. Cette flèche empoisonnée avait pour but de tuer la Reine !

Le Ratakass assassin se réfugie dans un coin pour réarmer son arbalète. Mais Cagouille ne lui en laisse pas le temps ! D'un premier coup avec son saucisson, il le désarme. Puis, lui en assénant un second avec le jambon, il l'assomme, écrasant la fiole dont le liquide mortel se répand sur le plancher.

Le bruit de la fenêtre brisée a ameuté les gardes postés dehors. Des hommes d'armes se ruent dans la chambre royale, l'épée au poing. Quelle n'est pas leur stupeur en découvrant la Reine, dans sa chemise de nuit, réfugiée derrière ce guerrier borgne, à la tignasse ébouriffée, brandissant de la charcuterie dans une pose héroïque !

XIII

Le mystère de la chouette

C'est en plein milieu de la nuit que je retrouve l'usage de mon corps. Ces vingt-quatre heures de paralysie m'ont semblé encore plus longues que la première fois, à Deux-Brumes. Sibylle et Cagouille m'ont fait transporter à l'hôpital des animaux où, comme une bête malade, j'ai droit à ma stalle individuelle pleine de foin !

Mes muscles retrouvent leur souplesse, après une série de spasmes douloureux. Je suis tellement épuisé que je m'effondre et dors jusqu'au matin. Une bonne odeur de lait chaud et de pain frais me réveille. Sibylle a préparé un petit déjeuner. Je me lève sans déranger la portée de chatons venue se blottir contre moi.

Dans la cour, le soleil encore bas frappe mes pupilles endolories. Des papillons à peine sortis de leur cocon volettent un peu partout. Abeilles et guêpes se disputent le pot de miel que Sibylle a

posé sur la table que protège une treille ver-
doyante.

– Sasha! J'ai vu que tu t'étais décoincé, mais je
n'ai pas osé te réveiller. Comment te sens-tu?

– Comme mâchouillé et recraché par un dragon.
Mais ça va passer. Où est Cagouille?

– Pas là. Mange, tu dois avoir faim. Nous le
rejoindrons ensuite. Moi, je vais me changer.

Un éclat mystérieux brille dans ses yeux. Sautillant de son pas de danseuse, elle disparaît dans la
maison. Quand elle revient, le soleil a pris de l'alti-
tude et mon estomac est une outre trop remplie.

– Est-ce que tu te sens en état de marcher jusqu'au
château?

– Tout à fait! Cette potion paralyse complètement, mais les effets se dissipent en un clin d'œil.

– Tout de même, je demanderai à ma marraine
que le médecin de la cour t'examine. Alors, en
route?

– Tu es très belle.

Sibylle a passé une robe mauve aux plis délicats,
avec des manches ajourées et un col à mi-épaules
qui met en valeur son joli cou. Ses longs cheveux
sont rassemblés en tresses roulées qui me rappellent
un peu la coiffure de Phélina jadis.

En arrivant au château, je me sépare de Sibylle qui rejoint la cour, tandis que je file à la roulotte mettre des vêtements frais. Point de Cagouille. Je me rends aussitôt dans la grande salle dont les gardes, maintenant, me reconnaissent. La foule des aristocrates est assemblée, comme tous les matins. Je repère Sibylle, ainsi que son père. Comme sa terrible mère est avec eux, je préfère rester à distance.

Sur l'estrade, le Connétable en armure complète se tient immobile. Autour, les trompettes sont plus nombreuses que d'habitude. Soudain, elles entament une fanfare tonitruante. Lorsqu'elles se taisent, la Reine fait son entrée, vêtue d'habits d'apparat. Deux pages la suivent, portant solennellement la traîne de sa cape. Le Connétable dégaine son épée, s'agenouille devant la souveraine et lui donne son arme. Puis il se retire sur le côté.

Près de la porte, d'autres trompettes se mettent à sonner. Les battants s'écartent, laissant pénétrer les rayons du soleil qui éblouissent l'assistance. Je remarque alors que tout le monde, à part moi, s'est habillé pour une grande occasion. Les trompettes s'abaissent et l'un des hérauts annonce :

– Messire Cagouille !

«Purin de *merde* !» Ce sont les seuls mots qui me viennent à l'esprit en voyant entrer mon copain. On lui a fait un costume digne d'un seigneur. Son chapeau piqué d'une plume de paon lui donne fière allure. Cependant, sa démarche décontractée n'a pas changé. Il avance sur le long tapis qui mène au trône, tout à fait à son aise, dévisageant d'un air rigolard les spectateurs massés à droite et à gauche. Soudain, il m'aperçoit, et m'adresse une grimace joyeuse qui fait glousser la foule.

Arrivé devant la Reine, il s'arrête, met un genou en terre et baisse la tête. Sa Majesté lève l'épée, la pose sur l'épaule gauche de Cagouille, puis sur la droite, puis sur le sommet de sa tête. C'est un adoubement[1] ! Elle effectue cette opération avec lenteur et l'accompagne d'un petit discours :

– Pour votre grand courage. Pour votre habileté au combat... bien qu'avec des armes comestibles.

L'assistance rit doucement, et même le Connétable se met à pouffer.

– Mais surtout, pour avoir sauvé votre Reine d'une mort affreuse, je vous fais, messire Cagouille...

Un silence total règne à présent.

– ... Jehan chevalier de la Cagouille !

La foule est en liesse ! Les trompettes tonnent, les hourras fusent ! Quant à moi, je suis bien trop estomaqué pour proférer le moindre son. Petit à petit, le calme revient et la cérémonie continue.

---

1. Cérémonie par laquelle une personne est faite chevalier.

Le Connétable se place à côté de Cagouille, lève sa main gantée de mailles, et lui assène un coup puissant sur la nuque.

– Purin de *merdre* ! C'est *quoille*, ça ? Le *punissement* d'avoir piqué dans l'garde-manger ?

Les rires fusent tandis que Cagouille se masse le cou. Le Connétable s'explique :

– Ça fait partie du rituel. Vous verrez, quand on devient chevalier, on s'habitue à encaisser des coups.

La Reine fait signe à Cagouille de se lever. Un page approche, portant un coussin sur lequel est posée une épée au fourreau. La souveraine fixe l'arme à la ceinture du héros et lui sourit.

– Chevalier de la Cagouille, lorsque la paix sera revenue sur le royaume, mon armurier vous forgera une armure digne de votre mérite. Allez, maintenant.

Cagouille s'incline, s'éloigne à reculons, puis se retourne et gagne la porte. Au passage, il tourne vers moi son œil empli de larmes d'émotion. Les applaudissements l'accompagnent jusqu'à ce qu'il soit sorti.

Soudain, perçant le brouhaha des conversations qui reprennent, la voix de Sibylle s'exclame joyeusement :

– Maman, réjouis-toi ! J'ai choisi mon chevalier !

La nouvelle de l'exploit de Cagouille s'est répandue en ville. Elle apporte un peu de bonne humeur à la population angoissée par le danger qui approche. À la requête du Chancelier, le héros du jour parade à travers les rues, juché sur le cheval blanc de M. Crapoussin. De simple roncin, le voici promu destrier[1]! La population enthousiaste acclame Cagouille avec reconnaissance, car la Reine est aimée de ses sujets. Certains lui jettent des fleurs depuis les fenêtres. D'autres mettent dans sa main des gourmandises.

Je marche à côté de lui, et tout ce brouhaha commence à me fatiguer.

– J'y pense, Sashouille, y va m'falloir un écuyer! La place t'intéresse?

– Pour seller ton bidet, cirer tes bottes et aller chercher ton goûter? Merci. Je ne suis pas une bonniche. Et puis, dis donc, moi aussi je suis un héros!

– Oh, eh, oh! Descends d'ton *pet d'estal*. Je rigolais. J'*suille* même pas un vrai chevalier.

– Pas encore. Mais après cette guerre, tu auras ton armure et tu apprendras le métier.

– Tu *croilles*?

– Bien sûr! Tu penses que la Reine et le Connétable font des chevaliers à la légère? Détrompe-toi.

---

1. Le roncin est un simple cheval de travail. Le destrier est la noble monture du chevalier.

– Purin… Quand le père et la mère vont apprendre ça…

Je pense surtout à la tête de Bathilde lorsqu'elle rencontrera le chevalier de la Cagouille.

– Écoute, héros du jour! On sonne même les cloches pour toi.

Un clocher s'est mis à chanter. Plus loin, un autre lui répond. Puis encore un autre… Bientôt, tous les carillons de la ville jouent un concert assourdissant. La population s'affole. Un vent de panique disperse la foule. Les rues se vident en un clin d'œil.

– Ça sonne pas pour ma pomme. C'est le tocsin, mon vieux.

– L'alarme!

L'armée de l'Archiduc a été aperçue depuis les tours de guet. L'information se répand à toute vitesse. L'ennemi sera ce soir aux portes de la ville. L'alerte est totale. On s'attend à un assaut demain matin à l'aube.

– Où qu'tu vas, Sashouille?

– Dormir. À ce soir, chevalier du jambon!

– Oh, eh, oh!

*

Je me réveille avec la lune, plein d'énergie. C'est entre le coucher et le lever du soleil que je me sens au meilleur de ma forme. Pas de Cagouille dans la roulotte. Il est probablement à l'hôpital des animaux, avec Sibylle. Je préfère les savoir sur l'île de la Cité, derrière la double protection qu'offrent les remparts de la ville et les bras du fleuve enveloppant le cœur de Coronora.

Sans perdre de temps, j'enfile mes gants-griffes et ma veste à capuchon. Dans la cour du château, c'est le branle-bas de combat. L'élite de la chevalerie se prépare, on caparaçonne les chevaux et astique les armes.

La nuit est nuageuse. Les étoiles jouent à cache-cache, et je cours de toit en toit dans une obscurité qui ralentit ma course. Bientôt, j'ai quitté l'île, traversé le pont couvert de maisons, pour me retrouver dans la masse de rues sinueuses que je survole en bondissant, jusqu'à la périphérie de la ville.

Les habitants sont terrés chez eux, toutes lumières éteintes. Depuis les toits où je cours en silence, je perçois une rumeur, provenant de tous ces foyers où la peur empêche chacun de dormir.

Plus j'approche des remparts, plus l'activité s'accentue. On évacue les civils des habitations trop proches des portes de la cité. Leurs colonnes croisent celles des soldats qui arrivent en masse pour se poster près des entrées.

Faire une sortie pour affronter les troupes de

l'Archiduc est impensable. Avant même d'atteindre les boucliers ennemis, nos combattants seraient paralysés par les Ratakass. Pour l'instant, ils se placent en bon ordre dans le fracas de leurs armures qui s'entrechoquent. Et ils attendent que le plan du Chancelier et du Connétable les débarrasse de ces maudits rats qui rendent tout combat impossible.

Les tours de guet avec leur toit pointu, piquées à intervalles réguliers dans les remparts, sont le meilleur point d'observation que je puisse trouver. En quelques heures, je les ai toutes escaladées, au nez et à la barbe des veilleurs sur le chemin de ronde. J'ai maintenant une vision d'ensemble des positions de nos assaillants.

Les troupes de l'Archiduc sont déjà en formation de bataille. Elles se tiennent bien éloignées, hors de portée des flèches que les Coronorassiens pourraient lancer. Partagée en deux blocs, l'armée ennemie se rassemble au sud et au sud-est. Seule portion de terrain, à cette distance, qui ne soit pas couverte par la forêt.

Les Ratakass, quant à eux, sont partout et beaucoup plus proches. Ils encerclent la cité jusqu'au pied des remparts. Les Sillons du Diable s'étendent tout autour comme les rayons d'un soleil. Ils attendent que le prince Viktar joue la mélodie qui leur commandera d'attaquer. Mais ils ignorent la contre-attaque préparée par le Chancelier !

Des musiciens ont été répartis derrière les créneaux. Ils forment au sommet des remparts une chaîne de flûtes, de trompettes, et même de cornemuses. Pour la première fois de leur vie, ces artistes ont revêtu la cotte de mailles. J'en ai vu plus d'un trembler de peur, relisant sous une torche sa partition copiée dans le livre de l'Archiduc. La stratégie est imparable ! Lorsque les Ratakass attaqueront, nos musiciens leur joueront des ordres contraires, qui stopperont la horde avant qu'elle déferle sur nous. Puis ils interpréteront d'autres mélodies pour commander aux Ratakass de faire demi-tour, puis d'attaquer nos assaillants ! Alors, les portes de la ville s'ouvriront et l'armée de la Reine se jettera sur l'ennemi, pour l'écraser dans un combat régulier.

J'imagine déjà le prince Viktar, s'époumonant sur son unique flûte, incapable de se faire entendre, couvert par le concert de cent instruments retournant ses rats contre leur maître.

La nuit est interminable, l'attente insoutenable. Rien ne se déclenchera avant l'aube, et minuit est à peine passé. J'ai amplement le temps de m'assurer que tout va bien pour mes deux amis. Je retourne donc au cœur de la ville, profitant du trajet pour perfectionner mes doubles sauts périlleux. Une figure difficile qui me permet de franchir les rues les plus larges. L'exercice est dangereux. Mais j'ai pris goût au frisson qui éclate dans l'estomac, quand la vie ne tient soudain qu'à l'extrémité d'une griffe.

Dans le quartier près du cimetière, je gagne un toit fort élevé pourvu d'une plate-forme. Il s'y dresse un ancien colombier. De cette hauteur, j'ai l'idée un peu folle de tenter un triple saut périlleux. Mais au moment de me jeter dans le vide, une voix que je reconnais stoppe mon élan. Stupéfait, je disparais dans l'ombre de la tourelle, sous les nichoirs abandonnés aux hirondelles.

– Papa, tu es sûr qu'elle retrouvera son chemin ?

– Bien sûr, Sibylle. Les chouettes ne sont pas des rapaces très obéissants, mais elles sont drôlement intelligentes.

Le père de Sibylle se tient au bord du toit. Sur sa main gantée est posée une chouette grise, dont les yeux ronds clignent à tour de rôle en scrutant la nuit. Le fauconnier lève le bras et l'animal s'envole. En silence, j'escalade le colombier pour suivre du regard le volatile qui disparaît de son vol lourd par-delà les remparts. Sibylle et son père redescendent dans la rue. Ils se séparent et partent dans des directions opposées.

Sans qu'elle me voie, je suis la jeune fille pas à pas

sans quitter les toits. Elle nous conduit jusqu'à son hôpital. D'où je suis perché, j'aperçois Cagouille installé dehors. Avant qu'elle le rejoigne, je me laisse tomber devant Sibylle qui pousse un petit cri de surprise.

– Ouf, c'est toi !

– C'est moi. Je t'ai aperçue en ville avec ton père, un peu plus tôt. Que faisiez-vous là-bas ? On est plus en sécurité ici, sur l'île.

Elle prend un air embarrassé et se mordille la lèvre.

– Oh, rien du tout. Un de ses éperviers s'était enfui. Je l'ai aidé à le rattraper.

Je ne comprends pas pourquoi Sibylle n'a pas voulu me parler de cette histoire de chouette. C'est un peu suspect mais, pour l'instant, j'ai un autre souci en tête. Celui de dissuader Cagouille de rejoindre avec moi la ligne de front.

– IL VAUT MIEUX QUE TU RESTES ICI POUR PROTÉGER SIBYLLE, AU CAS OÙ LE PLAN DU CHANCELIER TOURNERAIT MAL.

– Qu'est-ce tu racontes ? A'c la musique à *Ratachiass*, on va les repousser les dix doigts dans le nez.

– On ne sait jamais. L'ennemi est rusé. Et puis…

Je tourne mon visage encapuchonné vers Sibylle qui se met à rougir. Elle fuit mon regard.

– Et pis *quoille* ?

– Il peut y avoir des traîtres.

Il finit par se laisser convaincre et je regagne seul les remparts. Lorsque j'arrive, le soleil pointe à l'horizon et fait briller les casques des hommes galvanisés. Les Sillons du Diable disparaissent avec la lumière du jour. Je me perche sur une tour de garde, non loin d'un musicien qui se tient prêt, l'embouchure de son instrument contre les lèvres.

En bas, dans les rues, les soldats sont prêts à charger. Le Connétable se tient à leur tête, sur un immense cheval, devant la grande porte lourdement barrée. Sous son heaume à la visière relevée, le visage du militaire reste impassible.

Plus loin sur les remparts j'aperçois le Chancelier. Il scrute les lignes ennemies, entourés de ses officiers. Soudain, il s'exclame :

– Musiciens, tenez-vous prêts ! Le prince Viktar sort des rangs !

Escorté par ses Discoboles, l'ennemi de Rivas'Tarak avance paisiblement, sa monture en tête du petit groupe. Il s'arrête à la lisière des Sillons du Diable, dégaine la flûte sanglée sur son dos, puis commence à jouer. La mélodie donnant l'ordre d'attaquer aux Ratakass se répand autour de lui.

Aussitôt, les milliers de rats surgissent du sol, provoquant une poussière telle qu'on ne peut les distinguer. Un instant après, le tapis grouillant recouvre les remparts, grimpant à une vitesse effroyable, en dépit de leur équipement miniature.

Les premières flèches lumineuses sont tirées, et déjà quelques soldats de la Reine se retrouvent statufiés derrière les créneaux. Le Chancelier, visiblement stupéfait par ce spectacle, tarde presque trop à donner l'ordre de la riposte.

– Musicieeens... Jouez !

Aussitôt, tout autour du rempart, on entend jouer la mélodie censée stopper les Ratakass. Mais l'effet produit est tout à fait différent de ce que le titre de la partition laissait croire.

En entendant ces notes, les rats changent leur course et se précipitent vers les musiciens. Ils décochent sur eux leurs flèches paralysantes, concentrant leur tir sur les artistes, un à un statufiés. Puis, continuant à déferler sur le mur de la ville, ils se mettent à viser tout ce qui porte arme, armure, ou tente de s'enfuir.

Le flûtiste près de moi a reçu plusieurs carreaux. Je saute du toit de ma tourelle et m'empare de lui pour le mettre à l'abri. Mais dès qu'il a cessé de jouer, les Ratakass s'en sont désintéressés. C'est maintenant moi que l'on vise, et je dois déployer toutes mes acrobaties pour leur échapper sans être touché.

La panique est totale. On sonne la retraite, on fuit vers le cœur de la ville. Le Chancelier n'échappe aux flèches paralysantes que grâce au dévouement de ses hommes qui font obstacle de leur corps. Un soldat l'aide à monter sur son cheval, recevant une flèche qui l'immobilise à l'instant même où son maître détale.

Que puis-je faire, sinon assister au désastre ? Du haut d'une cheminée, je vois le Connétable agiter son épée au-dessus de sa tête. Il voudrait charger l'ennemi, en dépit des Ratakass ! Mais les hommes qu'il envoie ouvrir la grande porte, pour faire une sortie, sont immédiatement atteints par les flèches paralysantes. La nappe de rats descend du rempart et commence à se répandre dans les rues. Furieux, le Connétable pousse un cri de rage et bat en retraite, galopant avec ses soldats encore valides vers l'île de la Cité.

Là-bas, de l'autre côté des remparts, les troupes de l'Archiduc se sont mises en marche. Dans peu de temps elles envahiront Coronora, avec pour seuls adversaires des soldats immobiles et impuissants. Je ne veux pas être là pour assister à leur victoire.

C'est une défaite absolue. La vue brouillée par les larmes, je bondis de toit en toit vers l'île de la Cité. En bas, une foule de fuyards terrifiés prend la même direction.

XIV

L'espoir dans un chapeau

Une femme pleure en regardant brûler le pont où se trouvait sa maison. Son mari la serre dans ses bras. Il lui promet, sans trop y croire, des lendemains meilleurs. De l'autre côté du fleuve, la ville est aux mains de l'ennemi. Nous pouvons distinguer les troupes de l'Archiduc qui campent sur la rive.

Les ponts sont les seuls accès vers l'île où la population s'est réfugiée. Il fallait les détruire. Cagouille et moi, parmi la foule, regardons le triste spectacle des flammes qui dévorent toute une rue sur le fleuve.

– Ben mon vieux, 'reusement qu'les ponts sont en bois et pas en pierre.

La femme en larmes entend ces mots et prend Cagouille à partie.

– Mais ça ne sert à rien, de détruire nos maisons ! Les rats savent nager ! Ça ne les empêchera pas de venir jusqu'ici.

– Y savent nager, d'accord ! Mais sûrement pas a'c une arbalète dans les pattes et une fiole z'à la ceinture. Le chagrin vous fait dire des *couanneries*, ma pauv' dame.

Quant à traverser en barque, il n'en est pas question pour nos ennemis. Ils se placeraient à portée de flèches tirées depuis l'île. De plus, des barges chargées de nos archers patrouillent entre les deux rives.

– Non, le vrai problème, purin de *merdre*, c'est qu'est-ce qu'on va manger ?

Il n'a pas tort. Les réfugiés sont si nombreux sur l'île de la Cité qu'on pourrait se demander si elle va couler. Les trois quarts des habitants de la ville s'entassent dans ce qui n'est qu'un quartier de Coronora. Sans oublier les rescapés de l'armée, qui se sont rassemblés autour de la Reine. On compte presque autant de soldats que de civils.

– Où est Sibylle ?

– Au château. Elle veut assister au conseil. Moi avec, d'ailleurs. Tu *viendes* ?

– Allons-y.

Il est difficile de traverser la foule entassée dans la cour du château. J'aimerais être Chat Noir en ce moment, pour pouvoir circuler au-dessus de toutes ces têtes.

En jouant des coudes, nous nous frayons un

chemin jusqu'à la grande salle où le conseil a commencé. Le Connétable prend la parole :

– Ce maudit Chat Noir était bel et bien un traître ! Son histoire de musique était un piège. Dire que j'ai eu ce félon à portée de mon épée. J'aurais dû lui trancher la tête !

Le public se met à proférer des injures envers Chat Noir et réclame justice. J'en ai froid dans le dos. Le Chancelier intervient, agitant les bras pour arrêter le tumulte.

– Non ! Vous n'avez pas compris. Réfléchissez ! Chat Noir était sincère, il n'a trahi personne. Il ignorait que le livre de musique était un piège. Mais pas un piège pour nous !

Le Connétable prend un air ahuri.

– Un piège pour qui, alors ?

– Pour l'Archiduc, bien sûr ! Nous aurions dû tenir compte de la duplicité du prince Viktar. Un homme qui a trahi ses propres frères, dans son propre pays ! Croyez-vous qu'il se contenterait d'être le second d'un Archiduc de Motte-Brouillasse ? Jamais ! La couronne du royaume, le prince Viktar compte la porter lui-même. Cette guerre, c'est sa conquête. L'Archiduc n'est qu'un pion.

– C'est possible. Mais quel rapport avec le livre de musique ?

– Mettez-vous à la place du prince Viktar. Comment se débarrasser de l'Archiduc, tout en s'appropriant ses vassaux et son armée? Sûrement pas en l'assassinant! Le meurtre de l'Archiduc ferait se retourner contre lui tous ceux qui le servent.

– Par un genre d'accident, alors?

– Tout à fait. Voici le piège tel qu'il aurait dû se dérouler : l'Archiduc veut essayer de diriger les Ratakass pendant un assaut. Il joue un commandement pris dans le livre de musique, mais toutes les bêtes qui l'entourent, au lieu d'attaquer l'ennemi, se mettent à lui tirer dessus. Ensuite, il suffit à Viktar de prétendre que l'Archiduc, piètre musicien, a mal joué la mélodie. Qu'à cause des fausses notes, les Ratakass ont interprété son ordre de travers. En somme, que l'Archiduc a été lui-même responsable de sa mise à mort. Alors qu'en réalité, les partitions du livre ordonnent aux Ratakass d'attaquer le musicien qui les joue.

– Très rusé. L'Archiduc mis « accidentellement » hors circuit, ses vassaux et soldats se seraient placés automatiquement sous les ordres du prince Viktar.

– Exactement.

– Cependant, les flèches des Ratakass ne sont pas mortelles.

– Une flèche paralysante n'est pas mortelle. Trois ou quatre non plus. Mais des dizaines de piqûres? Voire des centaines, si l'on se trouve au milieu d'une myriade de Ratakass qui soudain vous tirent dessus ? L'Archiduc n'y aurait pas survécu.

La Reine est restée silencieuse, le regard perdu dans le lointain. Son front plissé donne l'impression que sa couronne est devenue trop lourde. Le Chancelier se tourne vers elle.

– Qu'en pensez-vous, Votre Majesté ?

– Vous avez raison, ce livre de musique était une ruse pour se débarrasser de l'Archiduc. Nous sommes tombés dans un traquenard tendu pour un autre. Le prince Viktar est un être diabolique. Notre dernier espoir de lui échapper, c'est le secours que nos ambassadeurs ont demandé à Rivas'Tarak.

– Votre Majesté, il est trop tard pour espérer des renforts. Nous ne pouvons compter que sur nous-mêmes.

Soudain, l'assistance s'agite. Un homme très excité vient d'entrer et bouscule la foule, s'ouvrant un chemin en direction du trône. C'est un vieillard habillé d'une robe loufoque, coiffé d'un long chapeau pointu dont l'extrémité se balance à chaque pas. Une barbe hirsute lui mange les joues. En le voyant, le visage de la Reine s'éclaire d'une lueur d'espoir. Le Chancelier demande qu'on laisse passer l'arrivant.

– Allons, faites place à l'astrologue de Sa Majesté ! Nous lui avons demandé de tourner ses télescopes vers l'horizon et de surveiller la campagne.

Le vieil homme, tout essoufflé, fait une révérence maladroite et se met à proférer des propos incompréhensibles. Le Chancelier le rappelle à l'ordre.

– Du calme, du calme. Articulez.

– Grande nouvelle, Chancelier! Merveilleuse nouvelle!

– Vous avez aperçu les troupes de Rivas'Tarak? Elles approchent? Sont-elles encore loin?

– Que? Quoi? Pardon?

– Les renforts, l'astrologue! C'est bien ce dont il s'agit?

– Non, non, non. Qu'est-ce cela? Ah, les renforts! Pas du tout.

– Vous êtes un vieux fou. Expliquez-vous.

– Un astre nouveau! Dans le ciel de jour, un nouvel astre!

– Comment? On vous a demandé de surveiller les alentours, pas d'observer les étoiles!

– Un astre énorme! Une sphère dans les nuages! Qui grandit à vue d'œil! Pas dans les étoiles, non, non, non. Dans le ciel si bas, si bas.

Le Chancelier tourne un regard agacé vers la Reine. Elle secoue la tête d'un air de dire «cette fois, il a vraiment perdu la boule». On le renvoie à ses lorgnettes, avec ordre de surveiller le terrain et d'oublier les cieux.

L'astrologue s'en va en rouspétant, furieux d'être

incompris. La foule râle après ce gêneur et son intervention farfelue. Mais Cagouille reste pensif. Il se
penche vers moi et dit :
— Sashouille, une boule dans le ciel, tu sais à
quoille ça m'fait penser ?
— Dis toujours.
— À une *vessille* d'éléphant[1].

La journée se déroule dans un tumulte général.
Tant bien que mal, les autorités répartissent l'excé-
dent de population chez les habitants de l'île. Chacun y va de son bon cœur, et l'on s'efforce de ne
laisser personne à la rue.

L'hôpital de Sibylle devient un véritable hôtel. En
la voyant s'empresser autour de ses hôtes, leur pro-
diguant des soins, distribuant nourriture et bonne
humeur, je ne peux plus la trouver suspecte. J'ai
probablement mal interprété ce qu'elle et son père
faisaient l'autre nuit sur les toits. Et pourtant, ils
avaient bien l'air de deux comploteurs.

Les eaux qui nous entourent donnent un sentiment de sécurité aux réfugiés. Cette impression est
mise à mal en fin de journée, lorsque reviennent à
leur point de départ des embarcations chargées de
jeunes enfants avec leurs mères. Cette population

1. Voir *Chat Noir*, tome 2 : *Le Naufragé de l'île Maudite.*

fragile avait été confiée au fleuve, quelques heures plus tôt, à bord des rares bateaux à quai sur notre rive. Ils devaient naviguer pour se mettre à l'abri dans les villages en amont.

Le Chancelier en personne vient aux nouvelles. Comme cent autres badauds, j'assiste à l'événement. Nous écoutons avec angoisse le rapport de l'un des capitaines.

– On vous a attaqués ?

– Non, mais la voie est barrée. L'Archiduc a réquisitionné les paysans et leur fait construire des digues, pas très loin vers l'est.

– Des digues ? Pour assécher le fleuve ? Mais c'est titanesque !

– C'est tout à fait réalisable. Il n'y a pas eu de pluie depuis deux semaines. Par endroits, la profondeur est déjà si faible que la coque du chaland touche le fond. Avec tous les hommes qu'il a mis au travail, vous pourrez bientôt ramasser les poissons sans vous mouiller les chevilles.

– Et les Ratakass pourraient traverser à pied sec ? Je dois en informer la Reine. Vous, rembarquez et, cette fois, partez en aval.

– Tout de suite ! Tant qu'il reste assez d'eau pour flotter.

Aussitôt, le capitaine fait lever l'ancre, pilotant vers l'ouest son arche pleine d'enfants.

Durant toute la journée, des experts dépêchés par le Chancelier examinent le bord du fleuve. Si le niveau baisse, ça n'est pas encore flagrant. Les disputes vont bon train entre ceux qui redoutent l'assèchement et ceux qui le jugent impossible.

Quand arrive le soir, une partie de la population s'est rassemblée sur la rive. Chacun cherche à savoir si l'eau baisse vraiment, mesurant avec un bâton, un fil plombé d'un caillou, ou en plongeant dans les flots pour faire des marques sur la berge. Nul ne saurait dire ce qu'il en est réellement.

Puis la nuit tombe. Comme elle est douce, les réfugiés sont nombreux à rester dormir à la belle étoile dans l'herbe tendre, près des joncs où chantent les grenouilles.

Au matin, à la demande de Sibylle, Cagouille et moi poussons une charrette contenant des victuailles, pour le déjeuner de ces pauvres gens. En atteignant la berge, nous faisons une effrayante découverte. Les eaux du fleuve ont en grande partie disparu. Il n'en reste qu'une nappe paresseuse et boueuse de laquelle, même au plus profond du fleuve, dépassent les squelettes d'embarcations coulées depuis longtemps.

– Purin! Si ça *continuille*, les *Ratachiass* tarderont pas à venir jouer aux fléchettes a'c nous.

– À ce rythme, les digues auront vidé le fleuve en deux jours.

– Ça m'étonnerait qu'avec leurs p'tites papattes y pataugent dans la vase épaisse. À mon *aviss*, y z'attendront qu'ça sèche un peu avant d'traverser.

– Possible. Mais si le soleil persiste, ça ne sera pas long.

– En tout cas, pas question que j'prenne mon bain d'la semaine ! Y a pénurie d'eau, là. Ça serait du gaspillage.

– Tu ne trouves pas que ça sent déjà assez mauvais comme ça ?

En se vidant, le fleuve dégage des odeurs nauséabondes, car tous les égouts de Coronora s'y déversent. Tout le monde déserte la rive. La foule désœuvrée se masse sur les places et autour du château. C'est alors qu'un événement extraordinaire fait lever toutes les têtes vers le ciel.

Cagouille avait raison ! L'astre que l'astronome prétendait voir au loin était bien une sorte de vessie volante, rappelant celle qu'utilisait M. Crapoussin à Deux-Brumes. Sauf que la *vessille* d'éléphant était beaucoup moins volumineuse que l'objet qui nous survole en ce moment. Et le petit homme n'y est pas suspendu par des bretelles. Des courroies entourent l'objet oblong, supportant une sorte de grand panier en forme de barque. D'en dessous, on ne voit pas ce qu'il contient. Mais comme le véhicule fait des embardées, nous distinguons un court moment un grand chapeau que nous connaissons bien.

– Purin, Sashouille! C'est l'nabot!

– Son engin semble avoir des ennuis. Il fonce droit vers les tours de la cathédrale!

– *Viende*, allons ramasser les morceaux!

L'appareil volant fait des zigzags. Il descend rapidement, la foule s'enfuit sur son passage. Cagouille et moi grimpons quatre à quatre les marches qui conduisent au sommet de la cathédrale. Des gardes nous ont précédés et décochent des flèches sur le monstre qui les survole. Cagouille leur hurle de cesser leurs tirs.

– Bande d'*arbrutis*! C'est l'père *Grapoussin*, qu'la Reine a envoyé avec les *embrassadeurs* à Rivas'Ta-rak! Z'avez jamais vu voler une *vessille* ou *quoille*?

Le gros appareil fait quelques embardées et finit par s'accrocher à la pointe d'un clocher où il reste suspendu. Comme une panse crevée, il se dégonfle. L'habitacle en osier se balance dans le vide. Soudain, une corde se déroule jusqu'à nous. Notre ami M. Crapoussin se laisse glisser jusqu'en bas et atterrit au milieu des gardes médusés.

– Bien lé bonjour, messieurs! Jé né vous félécité pas d'avoir détrouit mon appareil.

Le nain retire son chapeau pour saluer puis, comme un magicien faisant apparaître un lapin, extirpe Mama Pouss du couvre-chef. La chatte se secoue, se lèche un bout de patte, et vient se frotter contre mes mollets.

Cagouille a la larme à l'œil. Il s'accroupit, donne une tape amicale dans le dos de M. Crapoussin qui fait tousser le petit homme.

– J'en suis tout *chambourlé*! J'croyais jamais revoir ta vieille pomme fripée!

– Hé hé! Tou n'héritéras pas si vité dé la roulotté, cher Cagouillé.

– P'us Cagouille, cher nabot. Chevalier de la Cagouille, *siou* plaît!

– C'est ton nouveau nom dé scène? Chévalier dé la Cagouillé? Ridicoulé. Laméntablé. Trouvé autré chosé.

Sans laisser le temps à Cagouille de s'expliquer, il s'adresse aux gardes qui viennent de l'accueillir à coups d'arbalète.

– J'ai ouné commounication ourgenté pour la reiné. Pas dé temps à perdré! Laissez-moi passer.

Malgré ses courtes jambes, M. Crapoussin marche aussi vite que nous. La population, maintenant plus curieuse qu'effrayée, se masse au pied de la cathédrale pour admirer la drôle de bête volante suspendue au sommet. Nous les laissons et prenons la rue qui mène au château.

– Une *vessille* pareille ! Ça d'vait être un éléphant géant ou *quoille* ?

– Pas oun éléphant, la Cagouillé. C'est ouné vessie dé baleiné. Très raré ! Très précieux ! Et ces primitifs m'en ont fait ouné passoiré. Avec ouné lampé spécialé inventée dans mon pays, on peut chauffer l'air à l'intérieur pour lé rendré très léger. Ainsi, avec Mama Pouss, nous avons sourvolé les montagnés pour arriver plous vité à Coronora.

Je prends Mama Pouss dans mes bras et demande :

– Et les ambassadeurs, où sont-ils ?

– Ils réviennent comme ils sont partis. Actouellement, ils sont sourément au milieu de l'océan.

– Et les renforts ? Les secours de Rivas'Tarak ? Sans leur aide, le royaume est perdu.

– Les renforts ? Mais ils sont là, pétit chat !

M. Crapoussin indique son chapeau. Je sais qu'il est capable d'y cacher une quantité de choses incroyable. Mais de là à en sortir toute une armée !

Il s'amuse un moment de notre incompréhension, puis se décide à donner des explications. Le petit homme se découvre, plonge le bras jusqu'au coude dans le tuyau de son chapeau, fouille en tirant la langue, puis en retire un rouleau de parchemin fermé par un ruban argenté. Il me le confie. Je le déroule et n'y comprends rien. On y a tracé des lignes de chiffres et de symboles incompréhensibles pour moi. M. Crapoussin reprend son parchemin, le range, puis explique :

– Il s'agit dé l'armé absoloue contré les Ratakass. La formoulé d'oun antidoté qui immounise contré lé poison paralysant.

– Et comment qu'on fait pour boire *çaille* quand qu'on est *paralysié*? C't idiot!

– C'est toi, l'idiot. On boit l'antidoté avant d'être attaqué! Ensouite, les flèchés des Ratakass peuvent té piquer, lé poison restéra sans effet.

– Merveilleux! Nous sommes sauvés! Du moins, s'il est possible d'en produire en quantité suffisante pour immuniser tous nos soldats.

– La quantité n'est pas oun problème. Les ingrédients sont très ordinairés. La seulé difficoulté, c'est que la préparation démandé dou temps. Deux ou trois jours sont nécessairés pour l'infousion et la distillation.

– Alors, il ne faut pas perdre de temps. Le fleuve sera bientôt à sec.

– Qu'est-cé qué c'est qué cette histoiré dé fleuvé à sec?

Nous expliquons à M. Crapoussin le plan de nos adversaires pour permettre aux Ratakass d'attaquer l'île de la Cité. Puis, arrivés au château, il est conduit aussitôt au cabinet de la Reine. Cagouille et moi rejoignons Sibylle à son hôpital avec une réfugiée supplémentaire, une Mama Pouss fort heureuse de retrouver la terre ferme.

XV

Mes illusions partent en fumée

M. Crapoussin n'a pas l'air fatigué par son voyage. Contrairement à Mama Pouss, qui ne quitte plus son coussin douillet chez Sibylle, le petit homme s'active avec une énergie affolante. C'est que sa tâche est d'une importance capitale! La Reine l'a chargé de fabriquer, dans les plus brefs délais, l'antidote dont il a ramené la recette.

Non loin du château, une auberge a été réquisitionnée et transformée en laboratoire pour qu'il mène à bien son ouvrage. En moins d'une heure, tout l'équipement dont il a besoin a été rassemblé dans la grande cuisine, où le fourneau chauffe comme l'enfer. Cagouille et moi l'aidons à installer ses cornues, alambics, tamis, bassins, fioles, pipettes, entonnoirs, et autres tuyauteries bizarres de l'alchimiste. Lorsqu'enfin on lui apporte les ingrédients qu'il a envoyé chercher, il pêche un tablier de cuir dans son chapeau, s'en ceint le ventre, et se met au travail.

– Ah, et voici lé plous important dé tous les ingrédients !

M. Crapoussin soulève le bord de son couvre-chef et passe la main à l'intérieur. Il en retire une fiole remplie d'un liquide lumineux très reconnaissable.

– C'est le poison paralysant des Ratakass !

– Oui, pétit chat. Tou l'avais déjà vou dé près ?

– Et comment ! J'ai fait personnellement l'expérience de son efficacité.

– Dans la formoulé d'oun antidoté, on outilisé toujours oun peu dou poison qué l'on veut neutraliser. J'ai rapporté cet échantillon dé Rivas'Tarak. Mainténant, j'ai tout cé qu'il mé faut. Laissez-moi seul. Jé dois mé concentrer.

Les deux jours suivants se déroulent dans une angoisse croissante. Le lendemain de l'arrivée de M. Crapoussin, les digues finissent d'assécher le fleuve et le fond apparaît, luisant, parsemé de flaques boueuses. Pour l'instant, la vase empêche encore les Ratakass de traverser. Une bonne pluie pourrait les retarder pour longtemps ! Hélas ! le soleil radieux s'est mis du côté de l'ennemi.

À la tombée de la nuit, le Chancelier annonce que l'attaque est attendue pour le lendemain matin. De l'autre côté, les troupes de l'Archiduc ont levé le camp, prêtes à donner l'assaut derrière la horde de

Ratakass. Sous la supervision du Connétable, des barricades sont construites aux points stratégiques de l'île. Moi, redevenu Chat Noir, j'observe depuis les toits les soldats qui prennent place tout autour de l'île.

M. Crapoussin a garanti qu'à l'aube il pourra distribuer son antidote à tous les combattants. Pour l'instant, il est presque minuit, il s'occupe de mettre en flacons le liquide bleu ciel distillé goutte à goutte par ses alambics. Je lui rends visite au laboratoire. Il me met aussitôt à la porte.

– Jé n'ai pas bésoin dé toi ici, pétit chat. Tou férais mieux dé sourveiller les alentours. J'ai oun mauvais pressentiment.

– QUE CRAIGNEZ-VOUS ?

– Lé Chancélier a annoncé qué jé fabriqué oun antidoté ! Il aurait mieux valou garder lé sécret. La nouvellé a rémonté lé moralé dé la popoulation… Mais lé vent l'a peut-êtré portée dé l'autré côté dou fleuvé.

– JE NE VOIS PAS COMMENT.

– Lé prince Viktar a dé grandés oreilles.

Pour une fois, je n'ai pas à me cacher. Malgré mes échecs, la Reine a déclaré que Chat Noir est son allié. La population sait que je veille et ma présence rassure. Ceux qui m'aperçoivent sur les toits me saluent avec excitation. J'en profite pour faire quelques démonstrations acrobatiques, sous les applaudissements des soldats postés dans les rues, et des habitants aux fenêtres. Il n'est pas désagréable d'épater un public ! Je commence à comprendre l'enthousiasme de Cagouille pour le spectacle.

Tout à coup, je cesse mes singeries. Une odeur âcre d'incendie me parvient. Tous mes sens sont en alerte. Du haut d'un clocher, j'aperçois avec horreur un bâtiment dévoré par de grandes flammes. C'est le laboratoire de M. Crapoussin.

Je me précipite sur place. La foule est rassemblée autour de l'auberge, personne ne sait comment agir. Des langues de feu surgissent de la porte, interdisant le passage.

– QU'ATTENDEZ-VOUS POUR ÉTEINDRE L'INCENDIE ?

– Avec quoi ? répond un témoin. Quand une maison brûle, on fait une chaîne avec des seaux jusqu'au fleuve. Mais le fleuve…

– … EST À SEC, SACREBLEU ! OÙ EST M. CRAPOUSSIN ?

Tout le monde se regarde en secouant la tête. Sans attendre plus longtemps, j'escalade un mur de l'auberge encore épargné et pénètre par une fenêtre. À l'étage, la fumée est asphyxiante. Mon bâillon m'empêche de suffoquer, mais je respire avec peine.

Les flammes ont fait un trou rougeoyant dans le plancher. Je me mets en boule et me laisse tomber jusqu'au rez-de-chaussée. Le laboratoire est un véritable enfer. M. Crapoussin, ligoté, est attaché à un pilier. L'incendiaire l'a condamné à une mort atroce ! En deux coups de griffes, je tranche ses liens et le libère.

– Touté ma prodouction va êtré détrouite ! C'est affreux ! L'antidoté est perdou !

– C'EST MOINS IMPORTANT QUE VOTRE VIE. Y A-T-IL DE L'EAU, ICI ?

M. Crapoussin m'indique une grande bassine. Je le soulève et le plonge dedans tout habillé. Puis j'empoigne un rideau partiellement consumé que je trempe comme une éponge. J'enroule le petit homme à l'intérieur, tel un bébé. Puis je me verse le reste du liquide sur la tête.

Avec Crapoussin dans les bras, je me lance à toute vitesse à travers les flammes. Une poutre tombe sur mon chemin, explosant au sol dans un éclat d'étincelles. Je bondis en serrant mon fardeau, roule sur le sol, et franchis la porte pour me retrouver parmi la foule.

Crapoussin sort de sa couverture, étourdi mais indemne. Les spectateurs m'acclament, mais je ne prends pas le temps de saluer. Je retourne sur le mur, pour atteindre une seconde fois la fenêtre du premier étage.

– Où vas-tou, pétit chat ? Tou es fou ?

– JE VAIS TENTER DE SAUVER QUELQUES BOUTEILLES D'ANTIDOTE. PRIEZ POUR MOI !

– N'y va pas ! C'est oun liquidé très inflammablé !

De retour dans la fournaise, partiellement protégé par mes vêtements encore trempés, je me mets en quête de fioles intactes. J'en arrache une douzaine aux flammes, que je dépose dans la bassine qui contenait de l'eau. Les dernières bouillonnent et éclatent avant que je puisse mettre la main dessus.

La cuisine de l'auberge n'est plus qu'un enfer rougeoyant où tout s'écroule autour de moi. La chaleur devient insoutenable. Je m'empare de la bassine avec mon maigre butin et me précipite vers la sortie. Mais à cet instant, un coup violent m'arrache le récipient des mains et le projette dans un bouquet de flammes. Aussitôt, les fioles que j'avais sauvées se fracassent et leur contenu s'enflamme comme de l'huile sur le feu. Je pousse un cri où se mêlent rage et désespoir ! Il ne reste plus rien de l'antidote, plus un flacon, plus une goutte !

Une silhouette apparaît face à moi. L'étrange tissu de son vêtement vert à capuchon ne semble pas craindre les flammes.

– PHÉLINA ! C'EST VOUS QUI AVEZ INCENDIÉ CET ENDROIT ?

– Bien sûr ! Ça a l'air de te surprendre, chat ballot.

– JE NE PEUX CROIRE QUE VOUS AYEZ CONDAMNÉ M. CRAPOUSSIN À ÊTRE BRÛLÉ VIF !

– Bah ! Ce misérable asticot méritait bien la mort ! Comme tous ceux qui entravent la gloire de mon époux. Comme toi aussi, Chat Noir ! Ta bêtise t'a rendu utile, mais ton sursis est révolu. Demain, on pellettera tes cendres avec les gravats de cette ruine.

Jamais je n'aurais imaginé Phélina capable d'une telle monstruosité. Ligoter ce pauvre homme et l'abandonner aux flammes ! Mais quel démon a pris possession de ce corps ? Ça ne peut pas être Phélina. Ça ne peut pas être MA Phélina !

Son bâton de combat siffle au ras de mon visage. Pour l'esquiver, je dois me projeter en arrière et atterrir sur des décombres en feu. Je roule sur le carrelage pour éteindre les flammèches qui s'attaquent à ma veste. Phélina rit, s'approche de moi sans se presser. Puis le rire meurt sur ses lèvres, en même temps qu'elle divise son arme d'un geste sec, se retrouvant avec deux épées effilées entre les mains. Son regard glacial reflète les flammes qui nous entourent.

Elle attend que je me relève puis, croisant ses lames en ciseaux, essaye de me trancher le cou. Je me ramasse contre le sol, évitant l'impact. Puis je bondis contre elle, l'envoyant s'étaler dans les éclats de verre enflammés des bouteilles qu'elle a détruites. Mais elle se relève instantanément, se jetant aussitôt sur moi dans un tourbillon de débris incandescents.

Phélina voltige dans les airs et retombe sur mes épaules, me frappant les tempes du manche de ses armes. Une douleur fulgurante me vrille le crâne ! Je m'affale dans les braises, griffant à l'aveuglette tout autour de moi.

Telle une créature de cauchemar, Phélina ricane et avance, faisant tournoyer ses lames autour d'elle. Ses yeux sont exorbités par la fureur, par la folie ! Allongé sur le dos, je m'empare du premier objet que ma main peut trouver. C'est une fiole, encore intacte, mais presque vide. À l'intérieur, un fond de liquide renvoie à l'incendie sa couleur flamboyante. C'est le poison des Ratakass qu'a utilisé M. Crapoussin ! Il en reste un peu… Juste assez !

J'écrase le flacon entre mes doigts. Il se brise en morceaux. Son contenu fluide se répand dans ma paume, jusqu'à l'extrémité de mon gant. Puis, à l'instant où Phélina s'abat sur moi pour me transpercer de ses épées, je projette mon bras en avant et plante mes griffes sous sa gorge.

Instantanément, elle se fige. Son regard assassin me fixe sans ciller. L'épouvantable expression de haine qui déforme son beau visage reste gravée sur ses traits. Je la repousse d'un coup de pied, elle tombe comme une statue, immobile dans son geste atroce.

Autour de nous, d'énormes morceaux enflammés tombent du plafond. Ils éclatent en bouquets d'étincelles en s'écrasant au sol. Je soulève mon ennemie et la charge sur mes épaules. Le mur de la cuisine donnant sur la rue vient de s'écrouler, le reste du bâtiment est sur le point d'en faire autant. Je fonce en hurlant au travers de la paroi incandescente et la traverse avec mon fardeau. Dehors, enfin, je m'effondre sur le pavé de la ruelle. Des hommes nous arrosent de leurs seaux qu'ils ont dû emplir au puits du château.

Il est trop tard pour éteindre le feu qui ravage l'auberge. Mais celui qui brûlait dans mon cœur pour Phélina est étouffé à jamais.

La foule éberluée regarde en silence le cortège de soldats transportant Phélina vers la prison du château. Étrange procession autour de cette statue guerrière, que les Coronorassiens reconnaissent au passage et appellent encore l'espion fantôme. Mon esprit reste marqué au fer rouge par son visage déformé, horrible masque de folie meurtrière. Je sais qu'à partir d'aujourd'hui, chacune de mes pensées pour Phélina invoquera cette image épouvantable.

Les sentiments délicats que j'éprouvais pour elle
agonisent au fond de mon âme. Je souffre. Mais la
douleur de perdre mon amour pour Phélina se mêle
à un sentiment de libération. Il est temps de jeter
aux oubliettes ce rêve qui m'a pesé trop longtemps.

La population n'est pas d'humeur à se réjouir de
cette capture qui, pourtant, l'aurait mise en liesse
quelques jours plus tôt. La nouvelle de la destruc-
tion de l'antidote a déclenché un vent de panique.
Aucun autre secours ne viendra de Rivas'Tarak, ni
de nulle part ailleurs.

Chaque civil disparaît et se barricade derrière les
portes des logis. Tout espoir de résistance a disparu.
La Reine est perdue. Dans quelques heures, la couronne du royaume ornera le front de l'Archiduc ou,
pire encore, celui du prince Viktar.

Les troupes de Sa Majesté font preuve d'un sang-
froid admirable. Devant l'exemple du Connétable
présent en première ligne, encouragés par les vail-
lants discours des capitaines, les soldats tiennent
leur place sans défaillir. Pourtant, ces hommes qui
ne craignent ni de se battre, ni de mourir, savent que
les Ratakass les priveront de tout combat, et même
d'une défaite glorieuse.

Je vole de toit en toit vers l'hôpital des animaux,
où je compte retrouver Cagouille. Mais en chemin,

j'aperçois au sommet d'une tour carrée la même scène que l'autre nuit. Sibylle et son père sont affairés à attacher un message à la patte d'une chouette. Cette fois, je dois découvrir ce qu'ils trament !

Posté dans l'ombre sur une corniche, juste en dessous de leurs pieds, j'attends qu'ils libèrent l'oiseau. Dès que celui-ci prend son envol, je me propulse dans le vide et l'attrape entre mes bras comme une balle. Contrôlant ma chute par un lent saut périlleux, j'atterris sur un balcon deux étages plus bas. Le rapace, habitué à être manipulé, ne se débat pas. Je tranche le cordon qui retient son message, puis le laisse prendre son envol. La chouette disparaît dans la nuit.

En quelques coups de griffes, je gagne le sommet de la tour. Lorsque j'y parviens, Sibylle et son père n'y sont plus. Je déroule le parchemin et, avec désespoir, découvre les mots de trahison qu'il contient :

Compagnons,

L'entière production d'antidote a été détruite.
Plus rien ne s'oppose à la charge des Ratakass.
L'instant idéal pour un assaut sera trois heures après le lever du jour, quand le soleil aura durci la vase ramollie par la nuit.
Concentrez-vous sur les points faibles de l'île,

qui sont les sorties d'égouts aux quatre points
cardinaux, ainsi que le quai des lavandières.
Tenez-vous prêts, mais ne lancez l'attaque
qu'au signal.
Que la victoire nous appartienne!

Boisjoly

Les traîtres! J'aurais dû alerter les autorités dès
l'autre soir! Vraiment, mon indulgence et ma naï-
veté me rendent idiot. Sibylle, comme Phélina, cache
derrière un joli masque une âme vilaine.

Mon pauvre Cagouille, comment va-t-il prendre
la nouvelle? Frères jusque dans le malheur, cette
nuit nous aurons eu tous les deux le cœur brisé.

Sans attendre, je fonce jusqu'au château où je
trouve le Chancelier dans la cour. Il donne des instructions aux chevaliers qui se préparent à défendre
l'enceinte royale.

– JE DOIS VOIR SA MAJESTÉ.

– Impossible. Les défenses où nous l'avons placée
ne s'ouvriraient même pas pour moi. Elle est inac-
cessible.

J'aurais préféré apprendre la nouvelle à la Reine,
de qui on peut espérer plus d'indulgence pour sa
filleule.

– ALORS, PRENEZ CECI. LE FAUCONNIER BOISJOLY ET SA FILLE ENVOIENT DES INFORMATIONS À L'ENNEMI. C'EST LA SECONDE FOIS QUE JE LES SURPRENDS. VOICI LE MESSAGE QUE JE VIENS D'ENLEVER AUX PATTES D'UN DE LEURS OISEAUX.

Le Chancelier parcourt le billet et devient pâle. Sa surprise et sa déception font apparaître une expression de souffrance sur son visage. Il s'éloigne rapidement en donnant des ordres, disparaissant dans la forêt d'armures étincelantes qui nous entoure.

Moi, je file discrètement dans la roulotte pour retirer ma tenue de Chat Noir. Cagouille va avoir besoin de son ami Sasha, je le sens. Et mes griffes ne peuvent rien contre la horde qui s'apprête à nous attaquer.

En descendant la rue menant à l'hôpital, je rencontre des gardes envoyés par le Chancelier. Ils emportent avec eux Sibylle, les mains liées dans le dos. Elle avance la tête basse, encadrée par quatre hallebardiers. Son regard croise le mien et elle secoue la tête tristement, les yeux pleins de reproche. Je reste sur le haut du pavé à regarder la scène, affligé, déchiré par des émotions contradictoires. Derrière la garde, Cagouille tente de se frayer un chemin vers la jeune fille qu'on lui enlève. Deux hommes d'armes l'en empêchent et le repoussent vers l'entrée de l'hôpital.

– Lâchez ma Sibylle, bande d'*arbrutis*! C'est une erreur *justicière*! Libérez-la, purin de *merdre*! Sibylle!

Soudain, il m'aperçoit. Les gardes emportant la prisonnière disparaissent au loin. Ceux qui le retenaient lâchent Cagouille pour les rejoindre. Il se précipite vers moi, plein de fureur.

– Je sais qu'c'est *toille* qu'as fait arrêter Sibylle et son père! Chat Noir la *rapportasse* de menteries! On m'a tout raconté!

– Cagouille, ce ne sont pas des mensonges. Sibylle et son père sont des traîtres.

– C'est *toille*, le traître! Faux frère! Ta Phélina est une *saloperite*, t'as pas supporté qu'ma Sibylle *soille* pas pareille, hein? Jaloux! Raclure de fumier mal chié! *Calomnieur*!

– Écoute-moi…

Cagouille ramasse de gros cailloux et se met à me lapider.

– *Ordure ma vue!* Jamais je veux r'voir ton museau!

Je n'ai pas d'autre choix que de battre en retraite. Lorsque je ne suis plus à portée de ses projectiles, Cagouille tourne les talons. Puis il s'enferme dans l'hôpital, claquant la porte sur les décombres de notre amitié.

XVI

Les rubans d'argent

J'erre à travers les rues jusqu'à la fin de la nuit. Fatigué et triste, je finis par m'arrêter sur l'avancée noircie d'un des ponts brûlés. Le spectacle sur la rive opposée est effrayant, mais fascinant. Pas de Sillons du Diable dans les rues et sur la berge, de l'autre côté du fleuve à sec. Les Ratakass y sont assemblés à l'air libre. Ils forment une nappe lumineuse et compacte dont l'éclat s'estompe avec l'apparition du jour. Disciplinés et grouillants, ils attendent l'ordre musical qui les fera déferler sur nous.

– Tou né portés pas tes gants-griffés, pétit chat ?

La voix de M. Crapoussin me fait sursauter. Je ne l'ai pas entendu arriver. Il se tient à côté de moi, avec Mama Pouss installée sur le sommet plat de son chapeau, au niveau de mon visage. Elle entrouvre ses yeux dorés, laisse échapper un petit roucoulement en me reconnaissant, puis se rendort tranquillement.

– Chat Noir ne sort que la nuit. De plus, si les Ratakass me paralysent, je préfère que l'on ne découvre pas ma double identité. Et puis… à quoi pourraient servir mes acrobaties, maintenant ? La défaite est inévitable.

– Quel défaitismé, pour oun jeuné hommé ! Régardé ton vieil ami dé Crapoussin, est-cé qu'il désespéré ? Jamais !

M. Crapoussin sourit largement, révélant ses grosses dents espacées qui lui donnent un air comique. Il tourne sur un pied comme une danseuse, puis s'incline dans un salut en direction de l'ennemi et tire la langue. Mama Pouss ouvre un œil et le referme. Je ris devant l'optimisme de ce petit bonhomme que rien ne semble abattre.

– Allez, oublie ton codé noctourne et va enfiler ta peau dé Chat Noir. Jé té rétrouvé à la roulotté. Cagouillé té cherché partout. Il a bésoin dé toi.

– Cagouille ? Ça m'étonnerait, il m'en veut à mort. Besoin de moi pour quoi ?

– Pour sauver lé royaumé, pardi !

M. Crapoussin s'en va en sautillant, ce qui dérange la minette somnolant sur son perchoir. Avant de partir vers le château, je jette une pierre dans le fleuve asséché. La vase est encore molle, mais pas assez pour engloutir le projectile. D'ici peu, les rayons du soleil l'auront assez affermie pour permettre l'assaut des Ratakass.

Cagouille m'attend dans la roulotte. Il m'accueille en m'offrant une tasse de lait réchauffé avec du miel.

– Qu'est-ce qu'il y a dedans ? De l'arsenic ou du venin ?

Il hausse les épaules et pioche un morceau de tissu sur lequel on a écrit avec un morceau de charbon.

– Tu n'es plus fâché ? Je ne suis plus une raclure de… de je ne sais quoi ?

– *Nan*, j'ai eu tort de m'*importer*. Tiens, lis *çaille*, ça vient de Sibylle.

– Où est-elle ?

– Dans un cachot, *pardisse* ! Ça t'étonne ?

Le message est écrit sur un morceau d'étoffe que la jeune fille a dû déchirer dans sa robe.

Cagouchou, ne reproche rien à CN, il a agi de bonne foi. Les apparences sont trompeuses. Important : nous pouvons vaincre les Ratakass, avec l'aide de CN. Reviens tout à l'heure pour des instructions. Espoir !

– Incroyable ! Comment as-tu eu ce message ?

– C'est Renarde et Gaspard. J'les ai envoyés dans un soupirail des cachots, pour qu'y trouvent Sibylle et lui t'nir compagnie. Pis y sont revenus a'c ce message dans la gueule.

– Tu as la suite ?

– Pas t'encore. Le père Crapoussin y est r'tourné a'c les rats. Je l'attends.

La porte de la roulotte s'ouvre et M. Crapoussin fait son entrée. Mama Pouss lui passe entre les jambes et saute sur mes genoux, intéressée par le contenu de ma tasse. Renarde et Gaspard sont perchés sur les épaules du petit homme. Ils tiennent chacun un morceau de tissu plié dans la gueule. Deux messages de Sibylle !

– Oun messagé pour Chat Noir ! Et lé sécond pour la Cagouillé. C'est marqué déssous.

Les deux rats savants délivrent leur courrier. Je déplie le mien et commence à lire à haute voix :

Mon Cagouchou, chaque minute sans toi est une
éternité de tristesse. Tu es mon gros amour
d'amour et même dans ce cachot «pourrite»,
comme tu dirais, penser à nous deux me...

Cagouille devient tout rouge et m'arrache le message des mains. Tout gêné, il se met à enguirlander Gaspard qui me l'a donné.

– S'pèce de rat savant d'mes chausses ! Va donc z'apprendre à lire avant d'jouer les facteurs !

Gaspard couine avec indignation, lui montre son derrière et fouette l'air de sa grande queue effilée. Je récupère le message qui m'était destiné, portant les initiales CN.

Instructions : le sommet de la tour nord-est du château appartient à mon père. Tu dois t'y rendre au plus vite. Couloirs et escaliers sont gardés, un étranger ne peut pas accéder par là. Mais CN peut y grimper en escaladant la tour.
Là-haut se trouvent des volières. Cherche la plus grande, dont l'intérieur brille de mille feux. À l'instant précis où les Ratakass passeront à l'attaque, libère les colombes qu'elle renferme. Tout ira bien. Bonne chance !

Cagouille me passe mon sac à double fond contenant l'équipement de Chat Noir. J'enfile mes gants-griffes en silence. M. Crapoussin détache une plaque dans le plafond et je me retrouve directement sur le toit de la roulotte.

– Tous nos espoirs réposent sour toi, pétit chat. C'est la dernièré chancé dé sauver lé royaumé !

– DE QUELLE MANIÈRE... PAR UN LÂCHER DE COLOMBES ? C'EST RIDICULE !

Mes soupçons au sujet de Sibylle resurgissent devant l'absurdité du plan qu'elle propose.

– Mais alors, tou n'as pas compris ? Les colombés, c'est oun signal !

– UN SIGNAL ? POUR QUI ?

– Nous verrons bien. Allez, va vité !

Le sommet de la tour nord-est forme une grande terrasse, calme et paisible. Après une escalade épuisante, je me glisse entre les créneaux pour me retrouver dans un surprenant jardin suspendu. Toutes sortes de plantes et d'arbustes poussent ici, dans de larges bacs. D'innombrables fleurs colorées répondent au plumage des oiseaux qui, répartis dans des volières spacieuses, chantent et s'ébattent, insouciants du drame qui se joue cent coudées plus bas.

Je me penche sur le vide. Comme tout semble petit, au sol ! Le lit sombre du fleuve qui craquelle comme une vieille peau, l'armée royale dont les casques renvoient des éclats lumineux tout autour de l'île, et, de l'autre côté, le grand tapis velu que forment les Ratakass prêts à fondre sur leurs adversaires. Vu d'ici, on croirait un jeu, une carte, une enluminure...

Dans la partie de Coronora tombée aux mains de l'ennemi, les troupes de l'Archiduc, assemblées en colonnes, font comme des rayons d'acier le long des rues. L'une de ces formations s'anime, les hommes s'écartant pour laisser passer un groupe de cavaliers. C'est le prince Viktar, escorté de ses Discoboles. Il se rapproche de la rive !

Je découvre sans mal la volière mentionnée par Sibylle. C'est une grande structure cubique, aux parois faites de filets. Elle héberge une foule de colombes, blanches pour la plupart. Chacune d'elles porte un long ruban argenté autour du cou, qui fait miroiter la lumière du soleil. Leur ensemble est éblouissant. La volière, comme l'a dit Sibylle, en brille de mille feux.

L'urgence de la situation ne se prête pas aux rêveries. Le prince Viktar a stoppé sa marche. Je le distingue mal, mais je devine qu'il a dégainé sa flûte et qu'il se met à jouer. Oui ! Car voici que la horde de Ratakass se met en mouvement ! Ils avancent, se répandent comme une marée dans le lit du fleuve qui disparaît sous leur nombre ! Ils forment un anneau gigantesque qui se referme autour de l'île assiégée.

Je me rue vers la volière. En quelques coups de griffes, je tranche les cordes qui la maintiennent. Les filets tombent et je m'agite au milieu des colombes pour les faire s'envoler. Alors, elles s'élèvent ensemble, groupées, formant un grand nuage étincelant dans les rayons du matin. Elles montent, montent, puis se mettent à décrire une large spirale. Cette vision enchanteresse, comme un bouquet d'étincelles, doit se voir à des lieues à la ronde.

Pendant ce temps, les Ratakass poursuivent inexorablement leur course. Dans un instant, ils atteindront l'île. Ils sont si proches que j'entends maintenant le piétinement funeste de leurs pattes sur la vase sèche.

Soudain, les colombes aux rubans d'argent sont prises de panique ! Leur vol compact éclate et elles se dispersent, affolées, battant bruyamment des ailes. Elles filent en tous sens, on croirait que la mort est à leurs trousses. Elles ont aperçu une autre nuée, bien plus terrible, en train de se former dans le ciel.

Masquant le ciel bleu, ils arrivent par vagues et par centaines. La source d'où ils surgissent semble intarissable. Ils s'échappent de la frondaison des bois qui enveloppent Coronora, pour se rassembler dans les cieux et venir tournoyer au-dessus de nos têtes. Leur mouvement circulaire donne l'impression qu'une tornade vivante couronne la ville. Leur nombre est si grand que l'ombre de leur vol trace un cercle immense sur la zone du fleuve.

Alors, avec un ensemble à vous couper le souffle, ils se laissent chuter et fondent sur les Ratakass. Le fracas de leurs ailes est terrifiant. C'est une armée de rapaces. Faucons, éperviers, buses, et même des aigles ! Leur attaque est fulgurante. Ils plongent comme des flèches sur les rats et l'on peut entendre le choc des impacts lorsqu'ils rencontrent leurs proies. Les ravages qu'ils font parmi la horde sont terribles ! Dès le premier assaut venu du ciel, l'armée de Ratakass est dispersée, désagrégée.

Chaque oiseau, selon sa taille, s'empare d'un ou plusieurs rats. Je vois des aigles en emporter trois, et même quatre à la fois ! Un ou deux dans chaque serre, un autre gigotant dans le bec, ils les emportent vers le ciel. Puis ils les laissent tomber dans la campagne, au-dessus des bois, des mares et des lacs ! Ensuite, débarrassés de leur capture, les rapaces reviennent à la charge. La manœuvre est d'une incroyable efficacité ! Après de nombreux assauts, en moins d'un quart d'heure, ces puissants chasseurs ont vaincu notre invincible ennemi. L'armée des Ratakass a totalement disparu !

Leur tâche accomplie, les fiers rapaces regagnent la forêt d'où ils ont surgi et disparaissent sous le feuillage. Éberlué, incrédule, j'ai l'impression d'avoir assisté à un miracle. Mais derrière ce tour de magie se cache une stratégie finement orchestrée par Sibylle et son père.

À nouveau, le lit du fleuve est à nu. Cependant, il

ne le reste pas longtemps. Bientôt, ce sont les sabots des cavaliers de la Reine qui le recouvrent. Après quelques instants de stupeur, des cris de joie et de ralliement s'élèvent partout sur l'île. Le Connétable a ordonné la charge! Chevaliers et fantassins se lancent à l'attaque et traversent, avec une fougue qui doit faire trembler les troupes de l'Archiduc. En face, coincés dans les rues étroites, l'ennemi s'apprête à recevoir le choc. Cette fois, c'est un vrai combat qu'il va devoir mener! Et contre les meilleurs bataillons du royaume!

Je redescends dans la cour du château, désertée par tous les chevaliers partis combattre. Dans la roulotte, je ne trouve personne. J'ôte ma tenue de Chat Noir, puis je fonce jusqu'au fleuve pour observer la bataille. Quelle n'est pas ma stupeur en rencontrant Cagouille, avec d'autres cavaliers, sur le point d'aller rejoindre le front!

Je l'interpelle, il s'arrête un instant et me lance joyeusement :

– Bravo, Sashouille! *Félixétations!* Sans leurs *Ratachiass*, y doivent z'appeler leur mère, maint'nant.

– Mais où vas-tu comme ça?

Le cheval, pris dans l'excitation, se cabre fougueusement et manque de flanquer Cagouille par terre. Mais mon copain tient bon.

– Ficher une trempe à cette bande de *chofiottes* !
T'as oublié que ch'uis chevalier ?

– Mais, tu es fou ? Et tu n'es même pas armé !

– Et ça, c'est *quoille* ?

Cagouille élève au-dessus de sa tête un énorme
jambon qu'il brandit comme une massue. Il pousse
un cri de guerre ! Sa monture fait volte-face et l'emporte au galop, vers les rues d'où nous parvient le
fracas de la bataille.

*

Sibylle a découpé des bandages frais dans un drap
de lin parfumé. Avec une infinie tendresse, elle rem-
place les pansements tachés de Cagouille, sur les
blessures qu'elle vient de nettoyer.

– Mon pauvre Cagouchou ! Heureusement que tu
es grassouillet. Sans ça, il y a des coups d'épée et
quelques flèches qui auraient pu t'achever.

À distance, je jette des cerises dans la bouche de
mon copain installé sur une banquette. Il les avale
et recrache les noyaux à une vitesse prodigieuse.

– Un jambon pour masse d'armes et ta graisse
pour armure, mon vieux, tu comptes tournoyer
dans les charcuteries ?

– C'est *çaille*, fichez-vous d'ma pomme. N'empêche
que j'en ai z'assommé quand même plus de trente !

– Ah bon ? Hier, c'était seulement vingt.

– Et avant-hier, juste une douzaine.

– Oh, eh, oh ! Vous comprenez rien à la *modestrie.*

Une fois Cagouille rafistolé, nous rejoignons tous les trois M. Crapoussin à la roulotte. Il enfile un costume de grand seigneur pour assister, avec nous, au procès qui se prépare.

Hier, c'était le jour de rendre les honneurs au père de Sibylle, à sa fille, ainsi qu'à la confrérie des fauconniers. En grand secret, ils ont organisé le plan ultime contre les Ratakass. Sans que personne s'en doute, le fauconnier de la Reine a fait appel à ses confrères dans tout le pays, et les a rassemblés dans les bois avoisinants. Leur discrétion a garanti le succès de cette opération de longue haleine. Le mérite de la confrérie est si grand que Sa Majesté a décidé de faire ajouter le faucon à l'emblème du royaume.

Aujourd'hui, c'est pour juger ses ennemis que la Reine rassemble la cour. Hélas, ils ne sont pas tous entre nos mains. L'Archiduc et Phélina attendent le procès dans leurs cachots. Mais le prince Viktar et ses Discoboles ont disparu. Plutôt que de livrer le dernier combat, ils ont fui et disparu sans laisser de trace.

Nous entrons dans la salle où le réquisitoire contre l'Archiduc a déjà commencé. La Reine semble impatiente et met fin à la longue énumération des griefs contre le félon. Elle fait taire le Chancelier, se lève, et se plante devant son ennemi. Celui-ci, que nous voyons de dos, a les épaules voûtées sous sa pelisse luxueuse.

– Mon cousin, je ne décolère pas contre vous! Vos manigances, votre ambition, votre félonie… Tout ça ne me surprend guère, et je m'en veux, autant qu'à vous, de ne pas vous avoir fait surveiller davantage alors que je connais votre esprit.

– Ma cousine…

– Silence!

– Votre Majesté…

– J'ai dit silence, Baudouin de Motte-Brouillasse! Non, ce que je ne peux digérer, c'est que votre félonie ait pu aller jusqu'à tenter de me faire assassiner.

– Comment? Mais, jamais!

– Vous le niez? On a introduit dans ces murs deux Ratakass, dont l'un était porteur d'un poison mortel destiné à ma personne. Vous l'ignoriez?

– Je l'ignorais! Je le jure sur mon honneur! Sur la tête de notre grand-père commun le roi.

La Reine sourit avec malice.

– Je veux bien vous croire. Après tout, vous ignoriez également qu'un sort à peu près semblable vous était réservé par votre… « allié ».

L'Archiduc, interloqué, demande des explications. Le Chancelier se charge de lui apprendre comment le prince Viktar comptait se débarrasser de lui, grâce au livre de musique.

– Ah, le traître ! Le félon ! L'immonde chien ! Le…

– Voyez, cousin, comme il est doux de se sentir trahi par ceux que l'on croit fidèles.

Alors se passe une chose incroyable ! Jamais je n'aurais cru voir un jour cet homme de fer s'écrouler. Et pourtant, il tombe à genoux, éclate en sanglots, se frappe la poitrine, s'humilie et s'injurie, faisant même le geste de s'arracher les cheveux, quoique son crâne n'en ait pas vu pousser depuis longtemps.

– Je suis un misérable ! J'ai trahi nos ancêtres. Le venin de l'ambition a corrompu mon bon sens. Un misérable ! Un gredin ! Un moins que rien…

– N'en faites pas trop, mon cousin.

L'Archiduc se relève et se retourne. Son visage affiche un remords que j'ai du mal à croire sincère. Il s'assied sur son tabouret et reste prostré. La Reine réfléchit et appelle son Chancelier. Elle lui glisse quelques mots à l'oreille, qui le font sursauter. On peut l'entendre murmurer sur un ton stupéfié :

– Votre Majesté, c'est impossible ! Vous n'y pensez pas !

Mais la Reine semble décidée. Elle rajuste sa couronne, empoigne son sceptre, fait lever l'accusé et prend un air solennel.

– Archiduc Baudouin de Motte-Brouillasse, écoutez mon verdict !

Le Chancelier tente d'intervenir avec un « Majesté, je vous en conjure... ». Mais elle l'ignore royalement.

– Mon cousin. Vous êtes un ambitieux, un jaloux ! Mais malgré tous vos défauts, personne ne saurait administrer mieux que vous le commerce à Deux-Brumes. De là dépend grandement la prospérité du royaume. Si vous conservez votre rang, vous pouvez encore être utile. Je sais que vous êtes un homme d'honneur. Jurez-vous, sur le sang de nos ancêtres, de devenir mon loyal féal ?

– Oui, ma cousine, je le jure.

– Jurez-vous de ne plus convoiter le trône, et de vous comporter en fidèle serviteur de la couronne ?

– Sur ma vie, Votre Majesté, j'en fais le serment !

L'Archiduc se frappe la poitrine si fort qu'il se met à tousser. Le Chancelier a l'air désespéré et lève les yeux au ciel.

– Eh bien, dans ces conditions, je vous pardonne. Retournez à Deux-Brumes, dans votre château, retrouvez votre duché. Et faites régner la paix et la justice en mon nom.

L'auditoire est sidéré ! Moi aussi. Je me demande si j'ai bien compris ce qu'elle vient de dire. Un brouhaha a envahi la salle. La Reine élève son sceptre et le silence se rétablit. Puis elle poursuit :

– Cependant, mon cher cousin, sachez que vous serez surveillé. Et que le moindre manquement à vos serments déclenchera votre perte sans appel.

– Bien, ma cousine. Nommez ceux que vous souhaitez placer autour de moi. Je leur ouvrirai les portes de ma demeure, ils y seront chez eux.

– C'est inutile ! Celui que je choisis pour vous surveiller habite dans l'ombre. En ce jour, par décret officiel, j'accorde au sieur Chat Noir le titre officiel de gardien de Deux-Brumes.

– Ch... Ch... Chat Noir ? Me... m... me surveiller ? Moi ?

– Oui, mon cousin. En voilà un que vous n'achèterez pas. Et qui maintes fois m'a prouvé sa fidélité.

– Chat Noir !

L'Archiduc hurle mon nom avec une rage qui me donne le frisson. Des gloussements amusés parcourent l'assistance, aussitôt interrompus par une intervention inattendue.

La porte de la salle s'ouvre en grand sur trois hommes d'armes à bout de souffle, blessés et en grand désarroi. La foule s'efface pour les laisser avancer jusqu'au trône. L'un d'entre eux, dont le sang coule à travers la cotte de mailles, jette devant lui un disque de métal sanguinolent.

– Votre Majesté, nous escortions la princesse Phélina pour l'amener à son procès. En chemin, des étrangers nous ont attaqués. Voici l'une de leurs armes. Ils ont enlevé la prisonnière et ont disparu avec elle.

XVII

ÉPILOGUE :

le gardien de Deux-Brumes

Même en été, le brouillard envahit chaque matin les rues de Deux-Brumes. C'est à travers ce voile fantomatique que nous suivons, Bathilde, mon père et moi, le cortège des fiancés jusqu'à la plus ancienne église de la ville.

Nous traînons un peu, car l'appareillage qui permet à mon père de se tenir debout nous ralentit. Mais c'est déjà un tel miracle qu'il puisse marcher, grâce à ce mécanisme ! Avec l'aide de ma sœur, il a créé une armature métallique qui enserre ses jambes, munie de ressorts, d'engrenages, et reliée à des béquilles qui déclenchent le mouvement. Certes, ça ne lui permettra pas de redevenir un acrobate. Mais il peut se déplacer seul et ne dépend plus de personne.

Tout le monde est installé lorsque nous arrivons. Les cloches se sont tues, la cérémonie a commencé. On n'entend plus que le discours du prêtre et les

sanglots de deux femmes. La première, la mère de
Cagouille, pleure de joie et manque de s'évanouir à
chaque instant. La seconde, la mère de Sibylle,
pleure également, mais pour des raisons tout à fait
opposées. Elle fait une grimace écœurée chaque fois
que son regard tombe sur le couple debout devant
l'autel.

– Sibylle Boisjoly, acceptez-vous de prendre pour
époux Jehan, chevalier de la Cagouille ici présent ?

– Oui.

– Jehan, chevalier de la Cagouille, acceptez-vous
de prendre pour épouse Sibylle Boisjoly ici présente ?

– *Ouille.*

– Au nom de la Reine, je vous déclare unis par les
liens sacrés du mariage.

Il faut le voir, mon Cagouille, dans son armure
rutilante ! Son heaume en forme de coquille d'escargot sous le bras, il descend fièrement l'allée centrale.
Sibylle lui tient la main et avance, légère comme une
biche, rayonnante de bonheur. Dehors, ainsi le veut
la cérémonie, un cheval les attend. Au pommeau de
la selle est pendu un bouclier portant les armoiries
du jeune héros : un jambon et un saucisson entre-
croisés.

Cagouille me lance un regard complice, fait
monter Sibylle sur la croupe du cheval et prend
place sur la selle. Acclamés par tous, ils s'éloignent

vers la porte de la ville. Ce soir, la famille et les convives les retrouveront pour banqueter dans leur domaine, l'ancienne propriété des Belorgueil. Ces terres et son manoir sont le cadeau de mariage que la Reine offre à son sauveur et à sa filleule.

De retour au moulin, je m'installe sur le banc près de la porte, en plein soleil. Mama Pouss y est installée et se blottit contre ma cuisse. Nous sommes rentrés depuis plus d'un mois, elle, M. Crapoussin et moi-même. Cagouille et Sibylle sont arrivés plus tard. Ils ont pris le temps de confier les animaux de l'hôpital à des personnes capables de les soigner. J'imagine que, dans son nouveau domaine, la jeune mariée va poursuivre son œuvre charitable. Quant à Cagouille, j'ai hâte de le voir devenir un véritable chevalier. Ses instructeurs n'ont pas fini de rigoler pendant les séances d'entraînement !

Mon père et ma sœur me rejoignent. Depuis mon retour, ils me regardent différemment. Cette aventure m'a changé, et je sens qu'ils peinent à me redécouvrir. Ce temps passé loin les uns des autres a mis une certaine distance entre nous. Mais notre affection mutuelle n'a pas diminué pour autant.

Bathilde me pousse d'un coup de fesse pour se faire une place sur le banc. Elle sort une pièce de métal de la poche de son tablier, puis dégaine une lime de sa ceinture et se met à bricoler.

– Que ton copain Cagouille ait trouvé une épouse, je n'en reviens toujours pas. Mais après tout, elle aime les animaux, peut-être que ceci explique cela.

– C'est un vrai héros. Tu comprendrais si tu l'avais vu à Coronora !

– Mouais… Mais ce qui me chiffonne le plus, c'est que la Reine ait pardonné à l'Archiduc. Et qu'en plus elle lui ait laissé son titre et son château ! Si ça avait été moi…

Bathilde fait le geste de se trancher la gorge avec son outil. Puis, l'air bougon, elle reprend son limage. Mon père tourne deux molettes sur le côté de ses cuisses, et le mécanisme qui le maintient debout passe en position assise. Je m'empresse de lui laisser ma place. Il passe un bras sur l'épaule de sa fille et lui explique :

– La Reine est au contraire très avisée. Ses décisions ne tiennent compte ni de ses émotions personnelles, ni d'aucun esprit de vengeance. Elle agit uniquement pour le bien du royaume. Vois-tu, Deux-Brumes, avec ses deux ports sur la mer et le fleuve, est la plaque tournante du commerce qui enrichit notre pays. La famille des Motte-Brouillasse gère avec succès l'économie de notre cité. Au cours des générations, ils ont consolidé alliances et liens commerciaux favorables au royaume. Emprisonner ou éliminer l'Archiduc, et s'aliéner ceux qui commercent avec lui, voilà qui briserait une machine bien huilée dont nous dépendons tous. Deux-Brumes a besoin des Motte-Brouillasse.

– Mais il est capable de tout !

– Tout seul, il n'aurait jamais tenté de s'emparer de la couronne. Et des princes Viktar, il ne s'en présentera pas tous les jours à sa porte.

M. Crapoussin vient de nous rejoindre. Il sort sa pipe de son chapeau, tout allumée, et souffle des nuages bleutés qui s'effilochent dans la brise.

– Et pouis, n'oublions pas qué mainténant, il est sous sourveillance ! N'est-cé pas, pétit chat ?

Ma sœur lève les yeux au ciel, sous-entendant que je ne suis pas à la hauteur de la tâche. Mais mon père hoche la tête lentement, sérieusement, pour signifier qu'il a confiance.

– Gardien de Deux-Brumes la nuit, mon fils. Mais aussi, étudiant studieux durant la journée, n'est-ce pas ?

– Et je dors quand, moi ? Ah, ce Collegium, ce que j'en ai marre !

Justement, il est temps que j'aille me reposer dans ma chambre jusqu'au soir. Mon père, Bathilde et M. Crapoussin vont rejoindre Cagouille et Sibylle à leur banquet de noces. Mais moi, c'est mon devoir, je resterai ici pour veiller jusqu'à l'aube sur les rues de Deux-Brumes.

*

Il est plus de minuit et je m'éloigne du château de l'Archiduc. Comme toutes les nuits, je suis venu surveiller ce qu'il fait. Je me pends aux fenêtres pour saisir des bribes de conversation, j'épie ses invités pour voir s'ils ont des mines de comploteurs... Bref! Je le tiens à l'œil. Mais le maître de Deux-Brumes est devenu sage, très sage... Peut-être trop sage.

Il vient de se coucher et je pars faire mes acrobaties sur les toits, surveillant les cambrioleurs, m'interposant dans les bagarres d'ivrognes, jouant les anges gardiens pour les passants qui s'attardent dans les ruelles obscures. Il est loin, le Chat Noir ennemi public! Je prends mon emploi de gardien de Deux-Brumes très au sérieux. C'est que je le tiens de la Reine en personne!

Ce ne sont pas les voleurs qui manquent, dans notre ville. Il vaut mieux pour eux qu'ils tombent sur moi que sur les gardes de l'Archiduc. Je me contente de les effrayer, ce qui est bien moins désagréable que de pourrir dans un cachot ou d'avoir une main tranchée.

Le port de marchandises est un lieu où j'en débusque souvent. Avant de rentrer au moulin, où je compte attraper un peu de sommeil avant le chant du coq, je fais une ronde sur les quais.

Pas de voyous mais, ô surprise, j'y rencontre une demi-douzaine de silhouettes encapuchonnées dans des robes de moine. Drôle d'heure et drôle de lieu pour un pèlerinage. Aussi, je grimpe en quelques coups de griffes au sommet d'une grue de chargement.

Sortant du brouillard, une barque accoste et les prend à son bord. Puis elle s'éloigne vers l'océan. Pour me rapprocher, je saute en tournoyant et j'atterris sur un amas de filets. Le bruit de ma chute est imperceptible, mais pourtant l'un d'entre eux m'a détecté ! Il se dresse dans l'embarcation, plonge la main sous son vêtement et en retire un disque d'acier qu'il se tient prêt à lancer. Je m'aplatis et disparais dans l'ombre.

Une voix féminine lui donne un ordre, dans une langue que je croyais ne plus jamais avoir à entendre :

– *Ertet ! Pa piyr gyor qyt saqasas.*

Le Discobole obéit et se rassied sur le banc, entre les rameurs.

La nuit, l'entrée du port est fermée par une immense chaîne tendue en travers du passage. Mais pour les fugitifs, dans leur minuscule esquif, il suffit de se mettre à plat ventre pour passer en dessous. En évitant les taches de lumière dont la lune éclabousse les quais, je m'avance jusqu'à l'extrémité du ponton. De là, je peux les suivre du regard tandis qu'ils glissent sur l'océan. La barque se fait de plus en plus petite, et rejoint un navire à l'ancre en pleine mer. Sa silhouette qui se découpe sur le ciel étoilé m'intrigue. Je me demande s'il s'agit du navire du prince Viktar. Et la voix que j'ai entendue, était-ce celle de Phélina ? Peu importe, pourvu qu'ils aillent au diable. Nos ennemis sont vaincus. Ils n'ont plus un seul allié, ici, et ne remettront jamais les pieds sur les côtes du royaume. La barque se fond dans la masse du bateau qui, peu après, hisse les voiles et disparaît vers l'horizon.

Le dictionnaire de Cagouille

Accomplice : complice.

Accomplite (mission) : accomplie.

Accroupement : attroupement.

Accusage : accusation.

Alorss : alors.

Arbruti : abruti.

Argacer : agacer.

Aspérer : espérer.

Barbouille : bouille.

Berlure (avoir la) : berlue.

Biglyeux : bigleux.

Bonimentir : mentir, mener en bateau.

Brèfle : bref.

Brutasse : brute.

Çaille : ça.

Calomnieur : calomniateur.

Cardeau : cadeau.

Castatrophe : catastrophe.

Chapieau : chapeau.

Charabiasse : charabia.

Chofiotte (une) : mélange de fiotte et de chochotte.

Chouille : chouia.

Connaille : connaît.

Continuiller : continuer.

Couannerie : connerie.

Crabouillasse : fange, ou une soupe immangeable.

Craniveau : caniveau.

Crouchtiller : croustiller.

Çui-là : celui-là.

Cultabiliser : culpabiliser.

De puce en puce : de plus en plus.

Dégroûtant : dégoûtant.

Déguerpisser : déguerpir.

Dessacrement : désagrément.

Discutailler : discuter.

Divertisser : divertir.

Écrabousier : écrabouiller.

Effarction : effraction.

Embrassadeur : ambassadeur.

Emmerdier (s') : s'emmerder.

Empressionnable : impressionnable.

Enluminé : illuminé.

Enquenouiller : entortiller.

Entourbiller : entortiller (au sens figuré).

Entourlourpe : entourloupe.

Enzamourer (s') : s'enamourer.

Escargouille : escargot.

Esclavache : esclavage.

Espliquer (variante : *aspliquer*) : expliquer.

Eugénie (plan d') : plan de génie.

Farfalu : farfelu.

Farfouiner : mélange de fouiner et de farfouiller.

Félixétations : félicitations.

Fillasse : fille.

Fouicher (s'en) : mélange de s'en foutre et de s'en ficher.

Froidasse : froide.

Fumiasse : fumier.

Funesterie : chose funeste.

Gâchier : gâcher.

Garnouille : grenouille.

Gentilzomme : gentilhomme.

Gibet de potence : gibier de potence.

Gigantex : gigantesque.

Glandeurs (la folie des) : la folie des grandeurs.

Goule : gueule, visage.

Grougnasse : grognasse.

Groujat : goujat.

Hey! : eh!

Illuses : illusions.

Importer (s') : s'emporter.

Malancolique : mélancolique.

Malotruche : malotru.

Mangeasser : manger.

Marboule : fou.

Mauviasse : mauviette.

Mercille : merci.

Merdaille (le revers de la) : le revers de la médaille.

Merdre : merde.

Milliasse : millier.

Misiéreux : miséreux.

Modestrie : modestie.

Moille : moi.

Mollasse : mou.

Môman : maman.

Montrer ses grands cheveux : monter sur ses grands chevaux.

Môssieur : monsieur.

Nan : non.

Naufragier : faire naufrage.

Nombrille : nombril.

Œils : yeux.

Oh, eh, oh! : on ne me la fait pas.

Ordure ma vue! : hors de ma vue.

Ouaille : oui.

Ouiskiki : ouistiti.

Paralysié : paralysé.

Pardisse! : pardi!

Pass'que (variante : *pasque*) : parce que.

Pata-splache! : décrit quelque chose qui tombe et s'écrase au sol.

Pérille (de sa vie) : au péril de sa vie.

Pet de grue (faire le) : faire le pied de grue.
Pet d'estal : piédestal.
Pétendurment : prétendument.
Pis : puis.
Poétasseries : poésie, sentimentalité.
Pôpa : papa.
Poste-arrière : postérieur.
Pourquoite : pourquoi.
Pourrite : pourri.
Prétesque : prétexte.
Préviender : prévenir.
Punissement (le) : la punition.
Purin (variante : *Purin de merdre*) : exclamation étonnée.
Quoille : quoi.
Radices : toutes sortes de racines comestibles.
Radinasse : radin.
Ragaler (se) : régaler (se).
Raisinsecte : raisin sec.
Ramassier : ramasser.
Ramoulasse : ramolo, faible.
Rapportasse (une) : un rapporteur.
Ratachiass : Ratakass.
Remplite : rempli.
Retardation : retardement.
Richasse : riche.
Rigouler : rigoler.
Rouscailler : rouspéter.
Rousti : rôti.
Saint-Courtoujours (la) : la semaine des quatre jeudis.

Salouperie (variante : *saloperite*) : saloperie.
Saltimbranque : Saltimbanque.
Sashouille : surnom affectueux qu'il donne parfois à Sasha.
Sauveteur : sauveur.
Siou plaît : s'il vous plaît.
Soldasses : soldats.
Statutes : statues.
Stratagétiquement : stratégiquement.
Suppositoire (c'est) : c'est une supposition.
Tarminer : terminer.
Théorite : théorie.
Titoyer : tutoyer.
Toille : toi.
Touchié (être) : être touché (au sens émotionnel).
Touille (c'est) : c'est tout.
Tranchonner : trancher.
Trisquement : strictement.
Trou d'même : tout de même.
Trou d'suite : tout de suite.
Vessille : vessie.
Viender : venir.
Viengue : viens.
Voilàille : voilà.
Vouille : oui.
Voye (je) : je vois (tu voyes, il voye).
Vuille : vu.
Xeptionnel : exceptionnel.
Zactement : exactement.
Zingrat : ingrat.
Zinzou : zinzin.

~ Les clefs du rivas'ta ~

Une langue de l'univers de Chat Noir,
par Yann Darko.

~ Mat dkidt fo sewyt'se ~
Ymi mypfya fa m'ymotiqt fa Dges Pioq,
qys Aypm Fysju.

Y A E I O U Y A
Z B C D F G H J K L M N P Q R S T V W X Z B

Ma sewyt'se irv my mypfya qyskía è Sewyt'Seqej, ma qyar
f'uò weimpaps mat Syvylytr. Qiyq vqecyesa fo sewyt'se im
gqemdyor, ok gyys vqemtduqnas dgepya mavssa eepro :

Damkir roo umv ymi qkebi olqyoqi fypr ma niv faweimpaps
my mavssa qqíbícimva fypr m'uqfqi ekqgezísopya.
Damkir roo umv ymi qkebi qyoqi faweimpaps my mavssa
tootemva fypr m'uqfqi ekqgezísopya.
Nyor esvapsoip! Mat wiaamkir fiotimv satsiq fat wiaamkir,
is mat diprumpat fat diprumpat.

Qiyq vqecyesa fo gqemdyor im sewyt'se, ok togdos fa gyoqi
m'uníqesoip omwasri.

Elyri-vio ceim!

~ Fysju ~

Traduction et solution sur la page suivante.
Ne pas tourner si tu as envie de te creuser la tête
pour découvrir toi-même le secret du rivas'ta!

~ Les clefs du rivas'ta ~

Une langue de l'univers de Chat Noir,
par Yann Darko.

Le rivas'ta est la langue parlée à Rivas'Tarak, le pays d'où viennent les Ratakass. Pour traduire du rivas'ta en français, il faut transformer chaque lettre ainsi :

Celles qui ont une place impaire dans le mot deviennent la lettre précédente dans l'ordre alphabétique.
Celles qui ont une place paire deviennent la lettre suivante dans l'ordre alphabétique.
Mais attention ! Les voyelles doivent rester des voyelles, et les consonnes des consonnes.

Pour traduire du français en rivas'ta, il suffit de faire l'opération inverse.

Amuse-toi bien !

~ Darko ~

TABLE DES MATIÈRES

Yann Darko a écrit de nombreux articles pour la presse féminine et adolescente. Parallèlement à son activité de journaliste, il a participé à divers projets dans le domaine du spectacle, avant de se consacrer au roman et de créer le personnage de Chat Noir.

Le premier volume, *Le Secret de la tour Mont-frayeur*, a obtenu le prix Tam-Tam *J'aime lire* 2015.

Le papier de cet ouvrage est composé de fibres naturelles,
renouvelables, recyclables,
et fabriquées à partir de bois provenant
de forêts gérées durablement.

Loi n° 49-956 du 16 juillet 1949
sur les publications destinées à la jeunesse

Composition : Dominique Guillaumin
ISBN 978-2-07-058116-0
Numéro d'édition : 294423
Dépôt légal : avril 2016
Achevé d'imprimer sur Roto-Page
par l'imprimerie 🐾 Grafica Veneta S.p.A.
Imprimé en Italie